Navegando 1

Activities for Proficiency

EMCParadigm Publishing
Saint Paul, Minnesota

Product Manager
James F. Funston

Associate Editor
Alejandro Vargas Bonilla

Consultants
Dana Cunningham
Robert Headrick

Teacher Notes
Robert Headrick
Barbara Keenan

Cartoon Illustrator
Tune Insisiengmay

Many activities in this manual originally appeared in the publication *Ideas prácticas para la clase de español.*
Original copyright © Mary Glasgow Publications LTD, London.

ISBN 0-8219-2804-X

Published by EMC/Paradigm Publishing
875 Montreal Way
St. Paul, Minnesota 55102
800-328-1452
www.emcp.com
E-mail: educate@emcp.com

Printed in the United States of America
3 4 5 6 7 8 9 10 XXX 09 08 07 06 05 04

Table of Contents

Introduction..ix

Suggestions for Use x
General Forms x
Capítulo 1..xiii
Capítulo 2..xiv
Capítulo 3..xvi
Capítulo 4..xvii
Capítulo 5..xviii
Capítulo 6..xix
Capítulo 7..xx
Capítulo 8..xxi
Capítulo 9..xxiii
Capítulo 10...xxiv

Blackline Masters
General Forms
Documento de identidad 1
Tabla para encuestas..2
Cartón para Bingo 3
Gráfica de grupos..4
Diagrama de Venn 5
Forma para tarjetas relámpago 6
Forma para proyectos de Internet..7
Guía de evaluación de proyectos 8
Colmena...9
Cuadrículas para crucigramas...10
Símbolos para actividades en la clase..11
Rueda con flecha (para juegos)..12
Bocadillos para diálogos 13
Viñetas para tiras cómicas 14
Tiras de película...15
Hoja de cuaderno 16
Cartel de "Se Busca" 17
¿Cómo se dice...? 18
Hojas para dejar recados 19
Marco decorativo para un afiche 20

Lista de vocabulario 21

Certificado de progreso 22

Mapa de España (ciudades) 23

Mapa de España (provincias) 24

Mapa de México, América Central, América del Sur y El Caribe.......25

Mapa de España (para completar) 26

Mapa de México, América Central, América del
Sur y El Caribe (para completar)..27

E-mail y Tarjeta postal 28

Dado...29

Receta 30

Capítulo 1

Letras mayúsculas 31

Letras minúsculas..32

Cuadro de números del 1 al 100 33

Matemáticas...34

La hora 35

¿Qué hora es? 36

El reloj 37

Reloj digital para armar...38

Lotería 39

Muchachos 40

Muchachas 41

Capítulo 2

Se habla español en los Estados Unidos (estados) 42

Se habla español en los Estados Unidos (ciudades).......................43

Las asignaturas 44

Horario escolar 45

Las calificaciones...46

Plano del colegio 47

La clase 48

Elementos para la clase 49

Reglas de la clase...50

Calendario para armar 51

Mi agenda 52

La estudiante nueva 53

A buscar trabajo..54

Colegio San Luis Rey...55

TV Doce...56

Capítulo 3

Mapa de México 57

Lugares de interés 58

Medios de transporte 59

En la estación del tren 60

Cuentas de café y de restaurante 61

Las tiendas 62

Chapultepec 63

Hotel San Gabriel 64

El Mexicano 65

Capítulo 4

Mapa de Puerto Rico 66

Mapa de la República Dominicana 67

Árbol genealógico 68

Caras (descripciones físicas) 69

Partes para crear caras 70

Los deportes 71

Los pasatiempos 72

Encuesta 73

En la televisión 74

En clave 75

Los beisbolistas de la República Dominicana 76

Capítulo 5

Mapa de Costa Rica 77

Mapa de Nicaragua 78

Animales 79

Invitación 80

¿Qué tenemos? 81

Capítulo 6

Mapa de Venezuela 82

Mapa de Colombia 83

La casa 84

La cocina 85

El cuarto 86

La sala 87

Menú 88

Ficha de cocina 89

En la cocina 90

En el comedor 91

Receta para hacer arepas 92

Plano de una casa...93

Plano de una casa ideal 94

Capítulo 7

Mapa de Argentina 95

Mapa de Chile 96

En la primavera y en el verano 97

En el otoño y en el invierno...98

Símbolos meteorológicos...99

El tiempo 100

Boletín meteorológico 101

Una profesión de altura...102

Capítulo 8

Mapa de España..103

¿Qué quehaceres hago?..104

Billetes de tren y de autobús 105

Plano del Metro de Madrid...106

En el supermercado...107

Frutas y verduras 108

Cantidades 109

Etiquetas de precios 110

Los quehaceres 111

Receta para hacer paella 112

El arroz 113

Receta para hacer flan de queso 114

Capítulo 9

Mapa de Panamá 115

Mapa de Ecuador..116

Maniquís...117

Ropa para hombre 118

Ropa para mujer 119

Partes del cuerpo 120

Dolores y enfermedades..121

Zapatería..122

Bienvenido al centro de Panamá 123

Pilar aconseja 124

Capítulo 10

Mapa de Guatemala...125

Mapa de Perú 126

Funciones de comunicación (Capítulo 1) 127

Funciones de comunicación (Capítulo 2) 128

Funciones de comunicación (Capítulo 3) 129

Funciones de comunicación (Capítulo 4) 130

Funciones de comunicación (Capítulo 5) 131

Funciones de comunicación (Capítulo 6) 132

Funciones de comunicación (Capítulo 7) 133

Funciones de comunicación (Capítulo 8) 134

Funciones de comunicación (Capítulo 9) 135

Funciones de comunicación (Capítulo 10) 136

Los sustantivos 137

Las palabras interrogativas...138

Los adjetivos 139

Concordancia de los adjetivos con los sustantivos 140

El negativo...141

Gustar..142

Gustar - verbo de objeto indirecto...143

El presente para indicar el futuro 144

Adjetivos y expresiones con *tener* 145

Los verbos regulares 146

Presente de los verbos que terminan en *-ar* 147

Presente de los verbos que terminan en *-er*....................................148

Presente de los verbos que terminan en *-ir*....................................149

El complemento directo...150

El pretérito de los verbos regulares *-ar* 151

Las preposiciones 152

Tener que..153

Preposiciones de lugar...154

El presente de algunos verbos útiles 155

¡Escápese!...156

Tips para visitar sitios arqueológicos 157

Amigos por correspondencia...158

Introduction

The Activities for Proficiency consist of reproducible blackline master activities that offer a fun and stimulating supplement to everyday Spanish instruction. There are both General Forms providing games, maps and comprehensive activity sheets for use at various times throughout the school year, and there are chapter-by-chapter blackline masters with supplemental activities that correspond to the content of the chapters of *Navegando 1*. The section Suggestions for Use provides ideas on how you might use the activities contained in this manual. However, the blackline masters can be used creatively in a number of different ways that will engage your students to help make learning Spanish exciting and productive.

Acquaint yourself with the activities by thumbing through the content of the manual in order to determine when you might best use them. For example, Blackline Master 1 (*Documento de identidad*) is suitable for the very first day of class; Blackline Master 23 would be useful as support when discussing the geography of Spain. In addition to the blackline masters for maps provided in the General Forms section, maps arranged by *Capítulo* may be used to reinforce and expand upon what students know about individual countries they are studying. By combining a series of activity sheets you can build projects that require students to use their language skills (i.e., vocabulary and grammar they are learning) in real-life, task-based activities that are standards-based as well. Then as your students complete their projects you can use Blackline Master 8 (*Guía de evaluación de proyectos*) to score the projects.

The last chapter of *Navegando 1*, *Capítulo 10*, provides an opportunity to review what students have studied. The corresponding *Capítulo 10* section of *Navegando 1* Activities for Proficiency Manual consists of blackline masters for reviewing and expanding upon previously learning content. For example, there is a Functions Checklist (*Funciones de comunicación*) for each textbook chapter. Here students are provided with a list of the chapter functions and they are asked to provide an example for each.

Finally, because students should be exposed to as much real language as possible, you will find that in addition to realia, there are several authentic food recipes that students may want to try. Again, use your imagination and explore the many interesting ways you can employ realia in class. Read and discuss the content with the class. Encourage students to find similar realia on the Internet and to expand their abilities to use Spanish outside of the classroom.

***Navegando 1* Activities for Proficiency** will enable you to increase your students' use of Spanish in the classroom! Students will discover that learning Spanish is fun!

¡Diviértanse mucho!

Suggestions for Use

General Forms

Blackline Master 1: *Documento de identidad*

Use this sheet the first day of class. Teach each of the vocabulary items for recognition purposes only at this point. Each student should complete the form. Students might work together in small groups and introduce each other. At some point after school pictures are taken, students will want to add their pictures to their *documentos*.

Blackline Master 2: *Tabla para encuestas*

There are many opportunities to use surveys in class. For example, students studying the topic "time" could create a series of questions (*¿A qué hora comes?* or *¿Cuántas horas estudias español cada día?*) and ask classmates the questions and, then, record each response on the survey form. Groups could tabulate the results of class surveys and report their findings orally.

Blackline Master 3: *Cartón para Bingo*

Use this bingo sheet when students play bingo. This sheet combined with several of the activity sheets in this manual will enable students to create bingo vocabulary sheets.

Blackline Masters 4 and 5: *Gráfica de grupos, Diagrama de Venn*

Both the *Gráfica de grupos* and *Diagrama de Venn* could be used for discussions that involve comparing and contrasting information for two or more students.

Blackline Master 6: *Forma para tarjetas relámpago*

Provide students with copies of this form and ask them to create flash cards.

Blackline Master 7: *Forma para proyectos de Internet*

When students use the Internet to research an activity or a topic in class, give them a copy of this form to organize their Web site addresses and notes.

Blackline Master 8: *Guía de evaluación de proyectos*

The *Guía de evaluación de proyectos* provides a scoring form to use when evaluating speaking, writing, portfolios or projects. Add criteria based on the type of activity assessed.

Blackline Master 9: *Colmena*

This form could be used by students to play "concentration" type games.

Blackline Master 10: *Cuadrículas para crucigramas*

This form includes two sizes of graph paper. Students could also use graph paper to make crossword puzzles.

Blackline Master 11: *Símbolos para actividades en la clase*

Use these symbols when creating worksheets for students. Activity symbols include (top left to top right, etc.): group practice, paired practice, speaking, listening, reading, writing, homework, video.

Blackline Master 12: *Rueda con flecha (para juegos)*

Duplicate and ask students to build roulette wheels. Then place subjects on one wheel and verb infinitives on another. Spin both and ask students to make sentences. This is a great small group or paired activity.

Blackline Masters 13 and 14: *Bocadillos para diálogos, Viñetas para tiras cómicas*

Use these sheets when asking students to create new dialogs. Teachers could also create a dialog with the bubbles, then cut them apart and ask students to arrange them in the order of the conversation. Students could do likewise.

Blackline Master 15: *Tiras de película*

Students can use this master to create a film—draw or paste a picture into each frame and then write dialog in the box next to each frame.

Blackline Master 16: *Hoja de cuaderno*

Students could use this form to make lists, for example, *¿Qué necesitas para la fiesta?*

Blackline Master 17: *Cartel de "Se Busca"*

Students find pictures of a person (famous or otherwise), describe the person, and then tell why he or she is "wanted."

Blackline Master 18: *¿Cómo se dice...?*

This is a quick review sheet for vocabulary. Working in pairs, one student creates a list of words in English in the right-hand column and then exchanges the list with another student who completes the column on the left in Spanish. Then students test themselves by covering up the words with a sheet of paper and then uncovering each line of words one at a time as a self-test.

Blackline Master 19: *Hojas para dejar recados*

Ask students to take telephone messages and write them down on the forms provided. Students could also use the forms to makes lists of things to do, etc.

Blackline Master 20: *Marco decorativo para un afiche*

Students can use this form to create posters, greeting cards, etc.

Blackline Master 21: *Lista de vocabulario*

Students can use this form to organize and study the vocabulary for a lesson.

Blackline Master 22: *Certificado de progreso*

Use this certificate to reward students for hard work upon completion of difficult concepts or projects.

Blackline Master 23: *Mapa de España (ciudades)*

Use this map when you are discussing cities in Spain, or just for fun during days when the discussion turns to travel in Spanish-speaking parts of the world.

Blackline Master 24: *Mapa de España (provincias)*

Use this map when you are discussing Spain, or just for fun during days when the discussion turns to travel to Spanish-speaking parts of the world.

Blackline Master 25: *Mapa de México, América Central, América del Sur y El Caribe*

Use this map when you are discussing Mexico, Central and South America or the Caribbean, or just for fun during days when the discussion turns to travel to Spanish-speaking parts of the world.

Blackline Master 26: *Mapa de España (para completar)*

Have student fill in sites on this map when studying Spain.

Blackline Master 27: *Mapa de México, América Central, América del Sur y El Caribe (para completar)*

Have student fill in sites on this map when studying Mexico, Central and South America or the Caribbean. Note: Individual country maps are provided in the appropriate chapter in which the country is studied.

Blackline Master 28: *E-mail y Tarjeta postal*

Students can write e-mail messages or send postcards with these two forms. After students write a message and address the postcard, ask them to find a photo and attach it to the other side of the postcard.

Blackline Master 29: *Dado*

Give students multiple copies of the dice form. Ask them to cut them out and tape or paste together. Use the forms to review numbers or to play games. Students might also take four dice and write subject pronouns on one, verbs on another, adjectives on another and adverbs on the last one. Students then roll all the dice and make sentences based on the roll of each dice.

Blackline Master 30: *Receta*

Use this form when asking students to find food recipes.

Capítulo 1

Blackline Masters 31 and 32: *Letras mayúsculas, Letras minúsculas*

Students can use these sheets to practice the alphabet. They could also cut each letter out and call out the letter as it is picked up from a pile of all the letters.

Blackline Master 33: *Cuadro de números del 1 al 100*

Students can use this sheet of numbers as flash cards. They can also use the numbers for math problems, i.e., each student picks up two or three numbers and creates a math problem with them.

Blackline Master 34: *Matemáticas*

Students can combine elements from Blackline Masters 33 and 34 to create and solve a variety of math problems.

Blackline Master 35: *La hora*

Use this form to teach telling time to students.

Blackline Master 36: *¿Qué hora es?*

Students can use this sheet as you say various times. As an alternative, one student can read a time, and other students can write the time on one of their clocks.

Blackline Master 37: *El reloj*

This blackline master provides an alternative means of practicing telling time.

Blackline Master 38: *Reloj digital para armar*

Students can create a digital clock with this activity sheet.

Blackline Master 39: *Lotería*

Students can practice numbers with lottery tickets. As an alternative, white-out the numbers and ask students to create new lottery tickets. Use the lottery tickets students have created for a weekly drawing for candy, pencils, pens, etc.

Blackline Masters 40 and 41: *Muchachos, Muchachas*

If students want to use a Spanish name in class they can select from the appropriate list.

Capítulo 2

Blackline Master 42: *Se habla español en los Estados Unidos (estados)*

Use this sheet to discuss the influence of Spanish and Spanish-Speaking cultures on life in the United States.

Blackline Master 43: *Se habla español en los Estados Unidos (ciudades)*

Use this sheet to discuss the extent to which the presence of Spanish speakers has grown in cities across the country. You might also want to talk about the names of cities and states and what they mean in Spanish, for example, Los Angeles, Nevada, Florida, etc.

Blackline Master 44: *Las asignaturas*

Use these illustrations for bingo or flash cards.

Blackline Master 45: *Horario escolar*

Have students complete this form with their current class schedule. Point out the twenty-four hour clock.

Blackline Master 46: *Las calificaciones*

Students might consider taking one of their recent grade reports and converting it to a Spanish version by using this form.

Blackline Master 47: *Plano del colegio*

Have students create a similar map of their school campus.

Blackline Master 48: *La clase*

Students might create a similar illustration of their classroom.

Blackline Master 49: *Elementos para la clase*

Use these illustrations for bingo or flash cards.

Blackline Master 50: *Reglas de la clase*

Ask students to build a set of class rules and then post the list on the classroom bulletin board.

Blackline Master 51: *Calendario para armar*

Have students create a calendar to practice the months of the year. Directions appear on the activity sheet.

Blackline Master 52: *Mi agenda*

Ask students to make a list of their activities for a week. Then have them describe what they did each day.

Blackline Master 53: *La estudiante nueva*

Use this form to practice describing the classroom. Students might also create a story about what's happening in the illustration.

Blackline Master 54: *A buscar trabajo*

Discuss the various parts of an advertisement. Abbreviations may need to be explained. Students can use these advertisements as examples for similar advertisements that they might write.

Blackline Master 55: *Colegio San Luis Rey*

Discuss going to school in a Spanish-speaking country. Using this advertisement, engage students in a discussion about the differences between schools in the United States and in a Spanish-speaking country.

Blackline Master 56: *TV Doce*

Ask students what their favorite programs are.

Capítulo 3

Blackline Master 57: *Mapa de México*

Use this map when you are discussing Mexico's geography, or just for fun during days when the discussion turns to travel to Spanish-speaking parts of the world.

Blackline Master 58: *Lugares de interés*

Use these illustrations for bingo or flash cards. Students could also use this sheet to tell where they want to go.

Vocabulary to teach: *el albergue juvenil, el Ayuntamiento, la comisaría, el estadio*

Blackline Master 59: *Medios de transporte*

Use these illustrations for bingo or flash cards. Students could also use this sheet with Blackline Master 63 (*Chapultepec*) and indicate places they are going and how they are going to get there, for example, *Cada mañana, voy al colegio en autobús.*

Blackline Master 60: *En la estación del tren*

Combine Blackline Masters 58 (*Lugares de interés*) and 59 (*Medios de transporte*) and ask students to prepare a trip, identifying where they are going and the route the train takes to get there. Students can also describe what they do in the station while waiting for the train to leave.

Vocabulary to teach: *el acceso a los andenes, el andén, la consigna automática, el despacho de billetes, la oficina de objetos perdidos, el quiosco, la sala de espera*

Blackline Master 61: *Cuentas de café y de restaurante*

Students can use these forms when acting out restaurant dialogs.

Blackline Master 62: *Las tiendas*

Students can label stores and tell what one can buy at each store, e.g., *En la florería se compran flores.*

Blackline Master 63: *Chapultepec*

Discuss what visitors to Chapultepec park might do.

Blackline Master 64: *Hotel San Gabriel*

Use this advertisement to review addresses and telephone numbers.

Blackline Master 65: *El Mexicano*

Use this advertisement to discuss what foods students like and those they dislike.

Capítulo 4

Blackline Master 66: *Mapa de Puerto Rico*

Use this map when you are discussing Puerto Rico's geography, or just for fun during days when the discussion turns to travel to Spanish-speaking parts of the world.

Blackline Master 67: *Mapa de la República Dominicana*

Use this map when you are discussing the Dominican Republic's geography, or just for fun during days when the discussion turns to travel to Spanish-speaking parts of the world.

Blackline Master 68: *Árbol genealógico*

Students complete a family tree and then question each other about their family trees.

Blackline Master 69: *Caras (descripciones físicas)*

Ask students to describe each person. For a comparative activity, give students a copy of Blackline Master 5 (*Diagrama de Venn*) and ask them to compare several of the faces on Blackline Master 74 (*En la televisión*). Those characteristics that the faces have in common go in the center.

Vocabulary to teach: *lacio, rizado, calvo*

Blackline Master 70: *Partes para crear caras*

Enlarge and provide a copy of this blackline master to students. Then ask them to create faces and describe them. Students can create a picture and describe it to another student who puts the image together using the characteristics from this activity sheet.

Blackline Master 71: *Los deportes*

Use these illustrations for bingo or flash cards.

Blackline Master 72: *Los pasatiempos*

Use these illustrations for bingo or flash cards.

Vocabulary to teach: *coleccionar estampillas, hacer crucigramas, ir de paseo, ir de pesca, jugar al ajedrez*

Blackline Master 73: *Encuesta*

Use this form for students conducting surveys.

Blackline Master 74: *En la televisión*

Use these illustrations for bingo or flash cards.

Blackline Master 75: *En clave*

Discuss baseball and the positions of each player in Spanish.

Blackline Master 76: *Los beisbolistas de la República Dominicana*

Ask students to list those words they recognize from this reading.

Capítulo 5

Blackline Master 77: *Mapa de Costa Rica*

Use this map when you are discussing Costa Rica's geography or where students would like to travel to in the Spanish-speaking countries of the world.

Blackline Master 78: *Mapa de Nicaragua*

Use this map when you are discussing Nicaragua's geography or to show students countries where Spanish is spoken.

Blackline Master 79: *Animales*

Use these illustrations for bingo or flash cards.

Vocabulary to teach: *una araña, un canario, un cobayo, un conejo, un hámster, un lagarto, un loro, una paloma, un pez de colores, una rata, un ratón, una serpiente*

Blackline Master 80: *Invitación*

Students can create an invitation to a party. After they create the invitation, they may want to make all the plans for the party—listing who will be invited and what music and food they need.

Blackline Master 81: *¿Qué tenemos?*

Ask students to identify words they recognize in this reading. Then ask them to write a quick, short synopsis of the reading.

Capítulo 6

Blackline Master 82: *Mapa de Venezuela*

Use this map when you are discussing Venezuela's geography, or when discussing where Spanish is spoken in the world.

Blackline Master 83: *Mapa de Colombia*

Use this map when you are discussing Colombia's geography, or any time during the year when Colombia happens to be in the news.

Blackline Master 84: *La casa*

Ask students to identify the rooms in the house using the provided vocabulary.

Blackline Master 85: *La cocina*

Ask students to identify items in the kitchen using the vocabulary listed on the left side of the sheet.

Vocabulary to teach: *un armario, una botella, una cazuela, un grifo, un microondas*

Blackline Master 86: *El cuarto*

Students can cut out all items and design a room of their own. Then they can describe the room. Items could also be placed in the room as the teacher or another student so directs.

Blackline Master 87: *La sala*

Ask students to identify items in the living room using the labels provided.

Blackline Master 88: *Menú*

Discuss the vocabulary on this sample menu. Then ask students to make up a similar menu for their own restaurant.

Blackline Master 89: *Ficha de cocina*

Have students make up a recipe using the vocabulary shown at the bottom of the page.

Vocabulary to teach: *receta, ingredientes, temperatura del horno, añadir, pelar, verter, decorar, mezclar, hervir, dejar enfriar*

Blackline Master 90: *En la cocina*

Ask students to write a story about this scene.

Blackline Master 91: *En el comedor*

Students can write or tell a story about this illustration.

Blackline Master 92: *Receta para hacer arepas*

You or your students may want to make this recipe and bring the *arepas* to class for students to try.

Blackline Master 93: *Plano de una casa*

Ask students to describe this house plan. Students can then draw a plan of their own house.

Blackline Master 94: *Plano de una casa ideal*

Ask students to describe this house plan. Students can then draw a plan of their ideal house.

Capítulo 7

Blackline Master 95: *Mapa de Argentina*

Use this map when you are discussing Argentina's geography, or when discussing where Spanish is spoken in the world.

Blackline Master 96: *Mapa de Chile*

Use this map when you are discussing Chile's geography, or when discussing where Spanish is spoken in the world.

Blackline Master 97: *En la primavera y en el verano*

Have students complete the illustration for the indicated seasons.

Blackline Master 98: *En el otoño y en el invierno*

Have students complete the illustration for the indicated seasons.

Blackline Master 99: *Símbolos meteorológicos*

Each symbol can be cut out, labeled and used as on a weather map when creating a weather report.

Vocabulary to teach: *está cubierto, está despejado, está helando, está nuboso, hay niebla, hay tormentas*

Blackline Master 100: *El tiempo*

Use this form to have students record the daily weather.

Blackline Master 101: *Boletín meteorológico*

Discuss weather with students.

Blackline Master 102: *Una profesión de altura*

Ask students to summarize this reading. They should list at least three points.

Capítulo 8

Blackline Master 103: *Mapa de España*

Use this map when you are discussing Spain's geography, or when discussing where Spanish is spoken in the world.

Blackline Master 104: *¿Qué quehaceres hago?*

Use these illustrations for bingo or flash cards.

Have students describe the chores they do around the house.

Vocabulary to teach: *hacer arreglos caseros, lavar la vajilla*

Blackline Master 105: *Billetes de tren y de autobús*

Students can use these forms as props when acting out dialogs that take place at a railway or bus station.

Blackline Master 106: *Plano del Metro de Madrid*

Ask students to explain how to get from one point to another by using the Metro in Madrid.

Blackline Master 107: *En el supermercado*

Use these illustrations for bingo or flash cards.

Vocabulary to teach: *el bistec, la carne de vaca, el chorizo, las galletas, las lentejas, la mermelada, el yogur*

Blackline Master 108: *Frutas y verduras*

Use these illustrations for bingo or flash cards.

Vocabulary to teach: *los duraznos, las cerezas, los champiñones, las frambuesas, las judías verdes, las piñas, los puerros*

Blackline Master 109: *Cantidades*

Use these illustrations for bingo or flash cards. Using Blackline Masters 107 (*En el supermercado*), 108 (*Frutas y verduras*) and 109 (*Cantidades*), ask students to select food items and match them to the appropriate container/quantity.

Vocabulary to teach: *una bolsa de…, un bote de…, una botella de…, una caja de…, una docena de…, una lata de…, una lonja de…, un tubo de…*

Blackline Master 110: *Etiquetas de precios*

Use these illustrations for bingo or flash cards to practice using numbers for prices. Ask students to take a price, for example *"0,60 el kilo,"* and identify types of foods that can be sold in that unit. They can also place pictures from Blackline Masters 107 (*En el supermercado*) and 108 (*Frutas y verduras*) with the price/unit of measurement.

Blackline Master 111: *Los quehaceres*

Ask students to describe this scene. Students might also identify those things they like/dislike and what they do at home.

Blackline Master 112: *Receta para hacer paella*

You might want to prepare this recipe and bring paella to class for students to taste. As an alternative, students may want to prepare paella at home for their family.

Blackline Master 113: *El arroz*

Ask students to summarize this reading.

Blackline Master 114: *Receta para hacer flan de queso*

This is another recipe students may want to prepare at home or that you might try preparing in your school if appropriate arrangements can be made.

Capítulo 9

Blackline Master 115: *Mapa de Panamá*

Use this map when you are discussing Panama's geography, or when discussing where Spanish is spoken in the world.

Blackline Master 116: *Mapa de Ecuador*

Use this map when you are discussing Chile's geography, or when discussing where Spanish is spoken in the world.

Blackline Master 117: *Maniquíes*

Enlarge this sheet and ask students to cut out the illustrations. Students may want to use a school picture, or select a picture from a magazine (a favorite rock star, movie actor/actress) and paste the head on the model for identification.

Blackline Master 118: *Ropa para hombre*

Ask students to color the clothing and to cut each piece out. Using TPR, introduce each piece and ask students to dress a model from Blackline Master 117 (*Maniquíes*) as you demonstrate. Students might also want to place labels on the back of each piece of clothing.

Vocabulary to teach: *de cuadros, de rayas, de lunares*

Blackline Master 119: *Ropa para mujer*

Ask students to color the clothing and to cut each piece out. Using TPR introduce each piece and ask students to dress a model from Blackline Master 117 (*Maniquíes*) as you demonstrate. Students might also want to place labels on the back of each piece of clothing.

Vocbulary to teach: *una camiseta, unos pantalones vaqueros*

Blackline Master 120: *Partes del cuerpo*

Enlarge the illustration and ask students to label body parts accordingly.

Blackline Master 121: *Dolores y enfermedades*

Use these illustrations for bingo or flash cards. After cutting the illustrations apart, students can draw a card from the stack and describe how they feel.

Vocabulary to teach: *le duele el corazón, le duele la muela, le duele la espalda, le duele el estómago, le duele la garganta, está mareado/a, está resfriado/a, tiene el brazo roto, tiene fiebre, tiene gripe, sufre una insolación*

Blackline Master 122: *Zapatería*

Discuss this advertisement in class. Ask students to list those words they recognize.

Blackline Master 123: *Bienvenido al centro de Panamá*

Ask students to list those words they recognize.

Blackline Master 124: *Pilar aconseja*

After students read and discuss this advice column, suggest that they make their own.

Capítulo 10

Blackline Master 125: *Mapa de Guatemala*

Use this map when you are discussing Guatemala's geography, or when discussing where Spanish is spoken in the world.

Blackline Master 126: *Mapa de Perú*

Use this map when you are discussing Peru's geography, or when discussing where Spanish is spoken in the world.

Blackline Masters 127-136: Functions Checklists *Capítulo 1 – Capítulo 10*

Review this list with students, asking them to give an example in Spanish of each communicative function.

Blackline Master 137: *Los sustantivos*

This blackline master may be helpful when reviewing nouns.

Blackline Master 138: *Las palabras interrogativas*

This blackline master may be helpful when reviewing the question-asking words.

Blackline Master 139: *Los adjetivos*

This blackline master may be helpful when reviewing adjectives.

Blackline Master 140: *Concordancia de los adjetivos con los sustantivos*

This blackline master may be helpful when reviewing how to use adjectives with nouns.

Blackline Master 141: *El negativo*

This blackline master may be helpful when reviewing negatives.

Blackline Master 142: Gustar

This blackline master may be helpful when reviewing the verb *gustar.*

Blackline Master 143: Gustar - *verbo de objeto indirecto*

Use this blackline master when combining *gustar* with indirect object pronouns.

Blackline Master 144: *El presente para indicar el futuro*

This blackline master may be helpful when reviewing the present tense when talking about the future.

Blackline Master 145: *Adjetivos y expresiones con* **tener**

This blackline master may be helpful when reviewing uses for the verb *tener.*

Blackline Master 146: *Los verbos regulares*

This blackline master may be helpful when reviewing the present tense of regular verbs in the present tense.

Blackline Master 147: *Presente de los verbos que terminan en* -ar

This blackline master may be helpful when reviewing the present tense of regular *-ar* verbs.

Blackline Master 148: *Presente de los verbos que terminan en* -er

This blackline master may be helpful when reviewing the present tense of regular *-er* verbs.

Blackline Master 149: *Presente de los verbos que terminan en* -ir

This blackline master may be helpful when reviewing the present tense of regular *-ir* verbs.

Blackline Master 150: *El complemento directo*

This blackline master may be helpful when reviewing direct objects.

Blackline Master 151: *El pretérito de los verbos regulares* -ar

This blackline master may be helpful when reviewing the preterite tense of regular *-ar* verbs.

Blackline Master 152: *Las preposiciones*

This blackline master may be helpful when reviewing prepositions.

Blackline Master 153: Tener que

This blackline master may be helpful when reviewing the expression *tener que* combined with an infinitive.

Blackline Master 154: *Preposiciones de lugar*

Vocabulary to teach: *hacia, al lado de, entre, junto a, delante de, alrededor de, encima de, debajo de, detrás de, lejos de, cerca de*

Blackline Master 155: *El presente de algunos verbos útiles*

Use this blackline master for reviewing the present tense of some irregular verbs.

Blackline Master 156: *¡Escápese!*

Ask students to read and make a list of those words they recognize.

Blackline Master 157: *Tips para visitar sitios arqueológicos*

Use this blackline master as the basis for a discussion about archeological sites in the Spanish-speaking world.

Blackline Master 158: *Amigos por correspondencia*

Use this blackline master as a class reading about communicating with pen pals.

Documento de identidad

Apellido: _____

Nombre(s): _____

Dirección: _____

_____

_____

_____

Número de teléfono: _____

Fecha de nacimiento: _____

Lugar de nacimiento: _____

Nacionalidad: _____

Nombre del colegio: _____

Altura: _____

Peso: _____

Pelo: _____

Ojos: _____

Mayor cualidad: _____

Mayor defecto: _____

Animal preferido: _____

Pasatiempos: _____

  Me gusta: _____

  Odio: _____

Color preferido: _____

Foto

Firma: _____

Tabla para encuestas

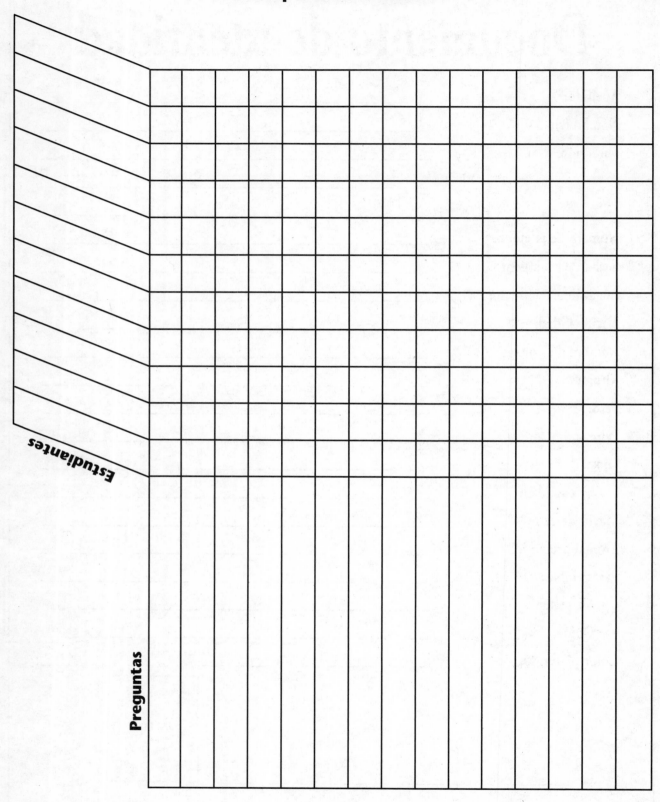

Estudiantes

Preguntas

Cartón para Bingo

Gráfica de grupos

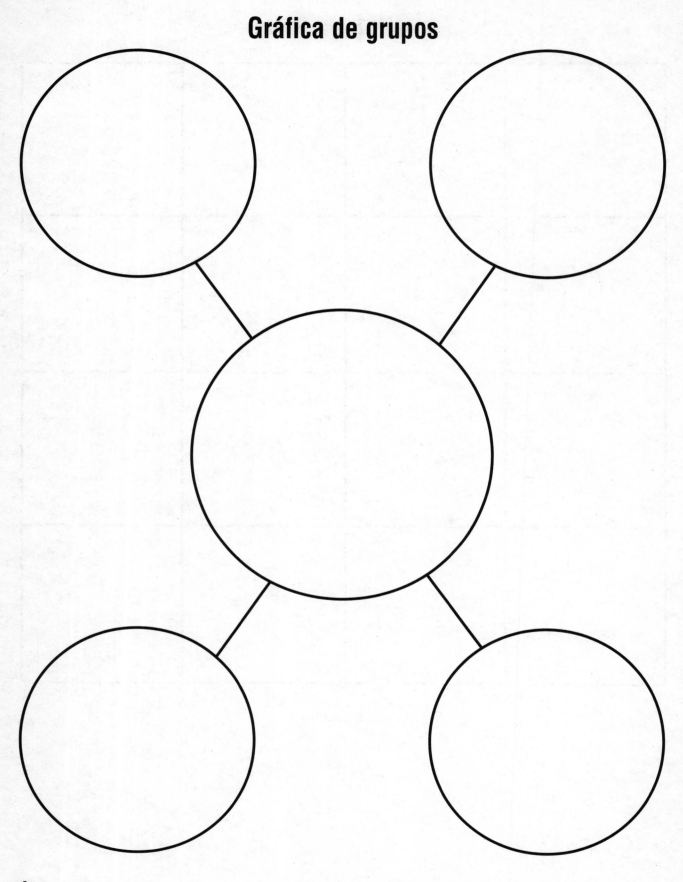

Diagrama de Venn

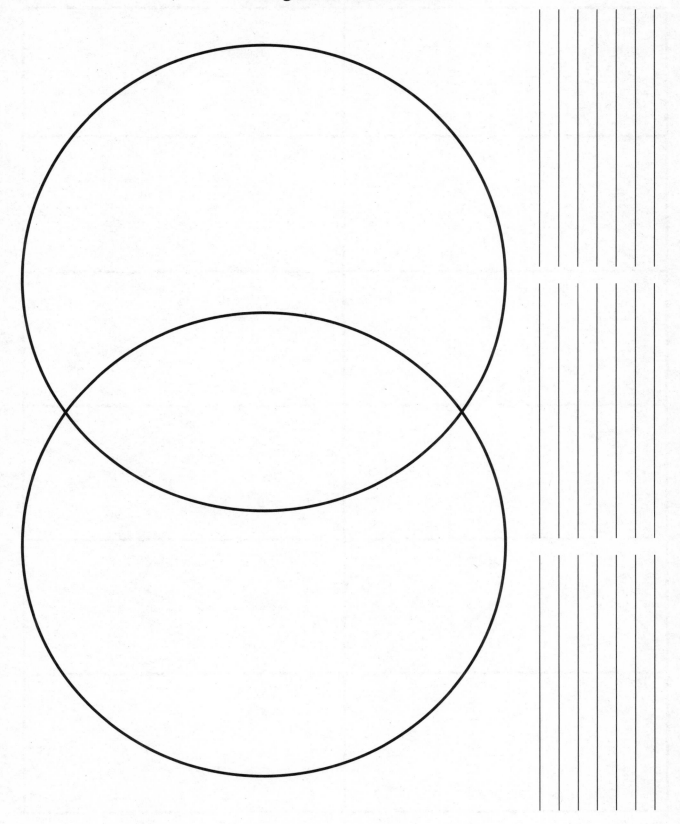

Forma para tarjetas relámpago

Forma para proyectos de Internet

Name: _____

Date: _____

Class Period: _____

Keyword(s) Searched: _____
   A. Information you found: _____
   B. Questions on the information you could ask a classmate:
      1. _____
      2. _____
      3. _____
      4. _____
      5. _____
   C. This information was helpful to me because _____.
      I learned that _____.
      This information was not helpful to me because _____.
   D. Attached is the information I downloaded:

Keyword(s) Searched: _____
   A. Information you found: _____
   B. Questions on the information you could ask a classmate:
      1. _____
      2. _____
      3. _____
      4. _____
      5. _____
   C. This information was helpful to me because _____.
      I learned that _____.
      This information was not helpful to me because _____.
   D. Attached is the information I downloaded:

Keyword(s) Searched: _____
   A. Information you found: _____
   B. Questions on the information you could ask a classmate:
      1. _____
      2. _____
      3. _____
      4. _____
      5. _____
   C. This information was helpful to me because _____.
      I learned that _____.
      This information was not helpful to me because _____.
   D. Attached is the information I downloaded:

Student's signature: _____

Parent's signature: _____

Date: _____

Guía de evaluación de proyectos

Points:
- 0 = non-participation
- 1 = very weak
- 2 = weak
- 3 = adequate
- 4 = very good
- 5 = excellent

Date: _____

Name: _____

Class period: _____

	Criteria	0	1	2	3	4	5	Comments
1								
2								
3								
4								
5								
6								

Total Points: _____   Grade: _____

Signature of evaluator (student or teacher): _____

Colmena

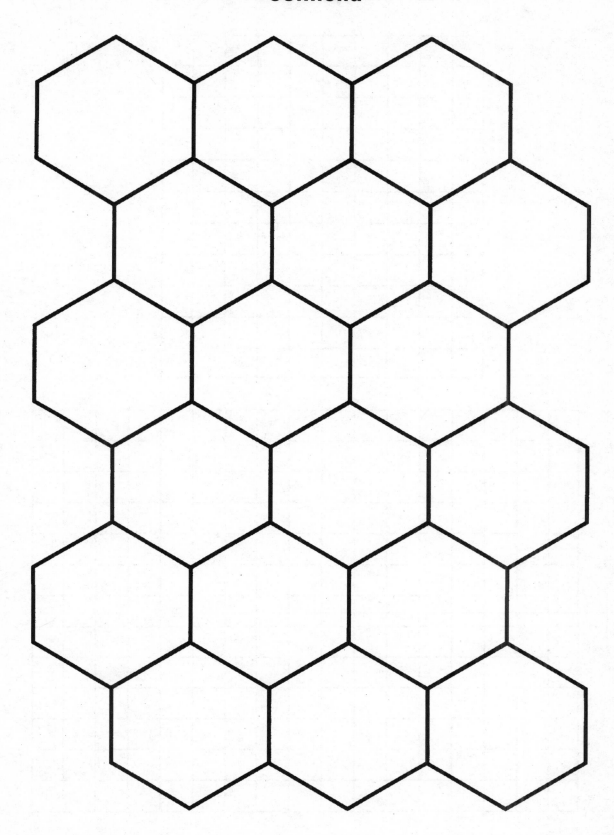

Cuadrículas para crucigramas

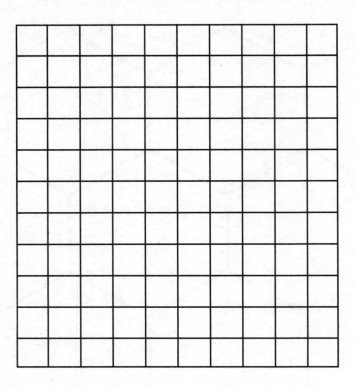

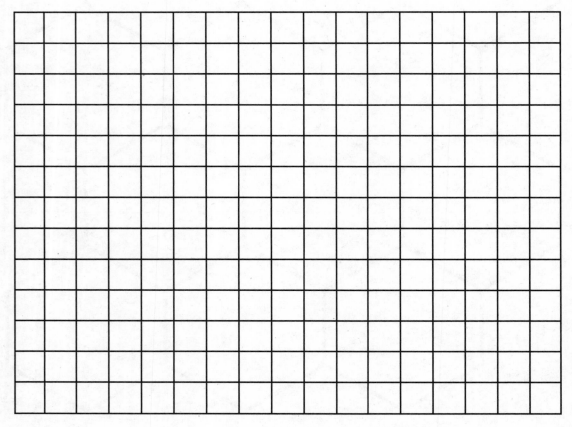

Símbolos para actividades en la clase

Rueda con flecha (para juegos)

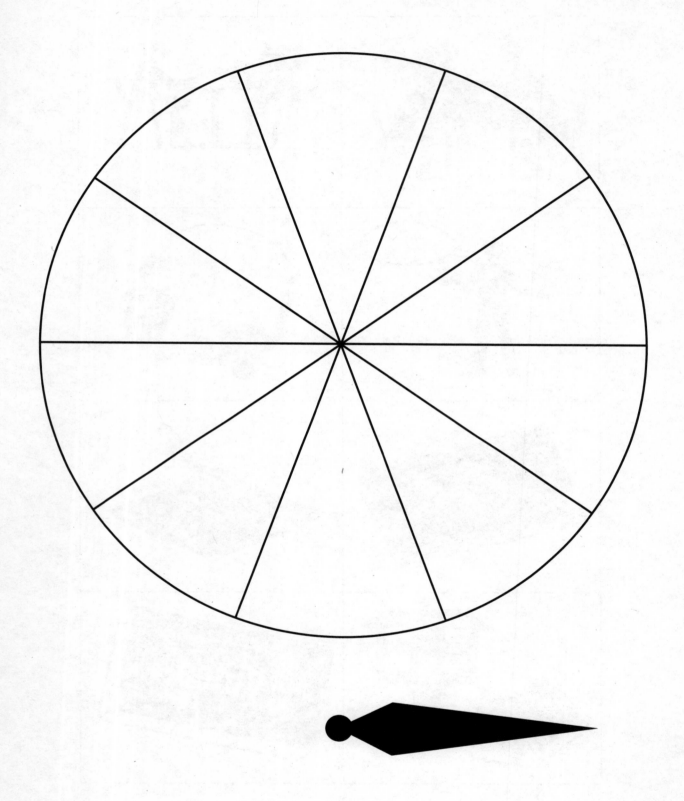

Bocadillos para diálogos

Viñetas para tiras cómicas

Tiras de película

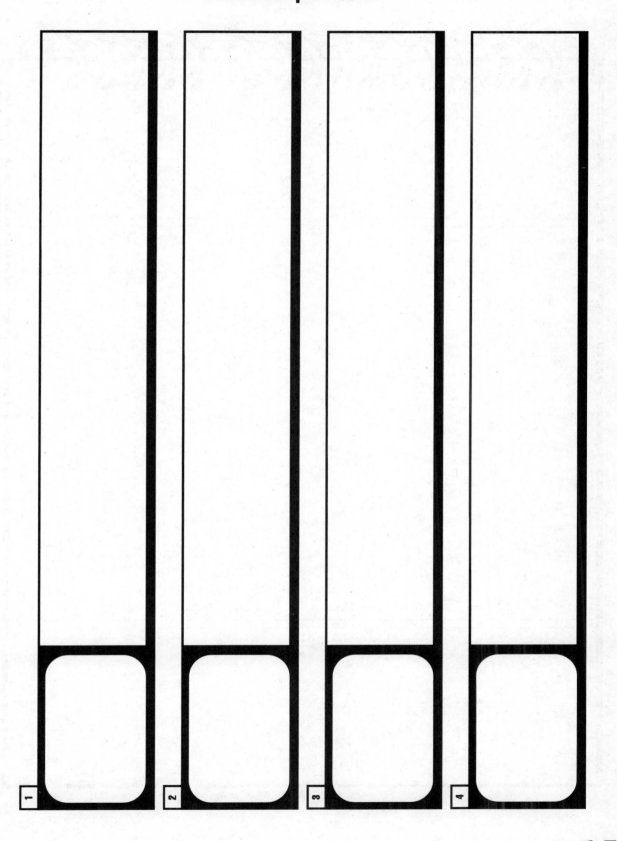

Hoja de cuaderno

Cartel de "Se Busca"

¿Cómo se dice...?

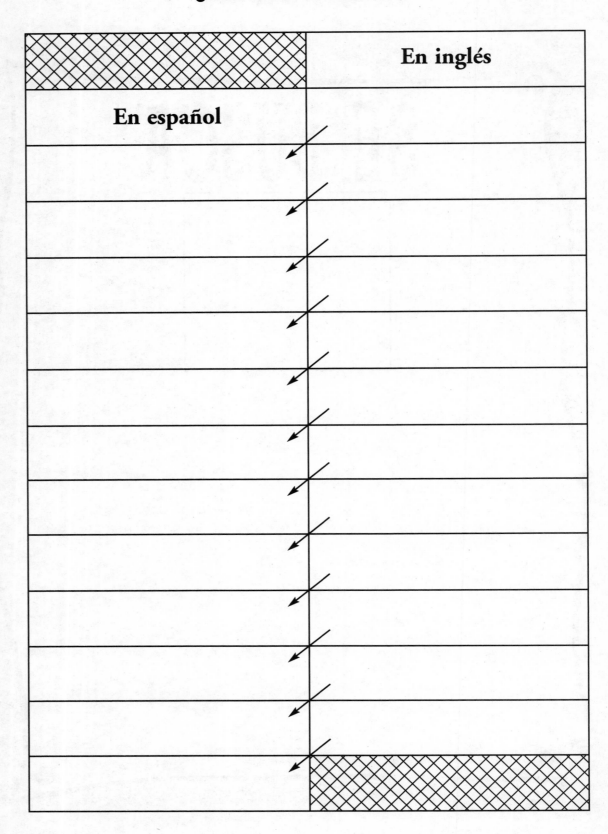

En español	En inglés

Hojas para dejar recados

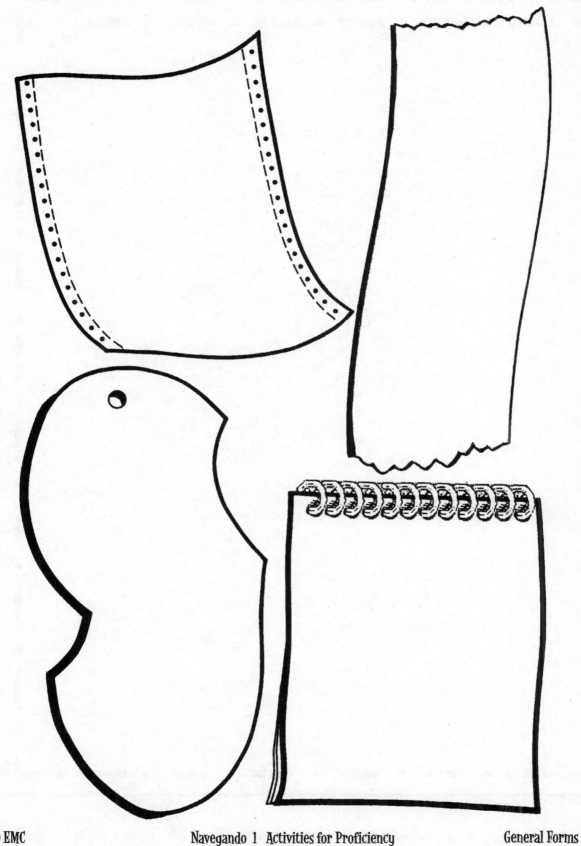

Marco decorativo para un afiche

Lista de vocabulario

Español	Tu traducción

Certificado de progreso

Certificado

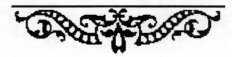

Apellido: _____

Nombre(s): _____

Clase: _____

He aprendido a...

Firma: _____

Firma del profesor/de la profesora: _____

Fecha: _____

Mapa de España (ciudades)

Mapa de España (provincias)

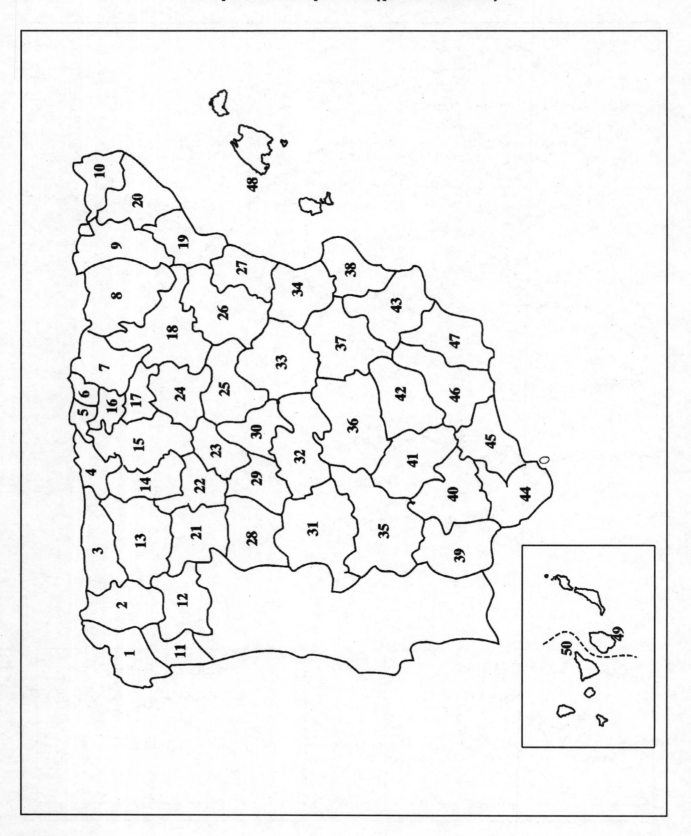

General Forms   Navegando 1 Activities for Proficiency   © EMC

Mapa de México, América Central, América del Sur y El Caribe

Mapa de España (para completar)

Mapa de México, América Central, América del Sur y El Caribe (para completar)

E-mail y Tarjeta postal

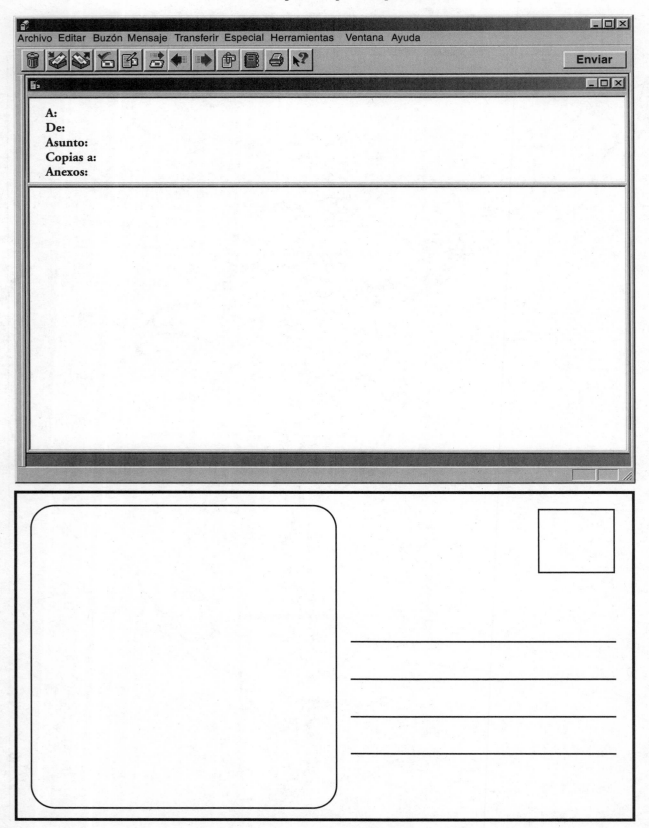

Dado

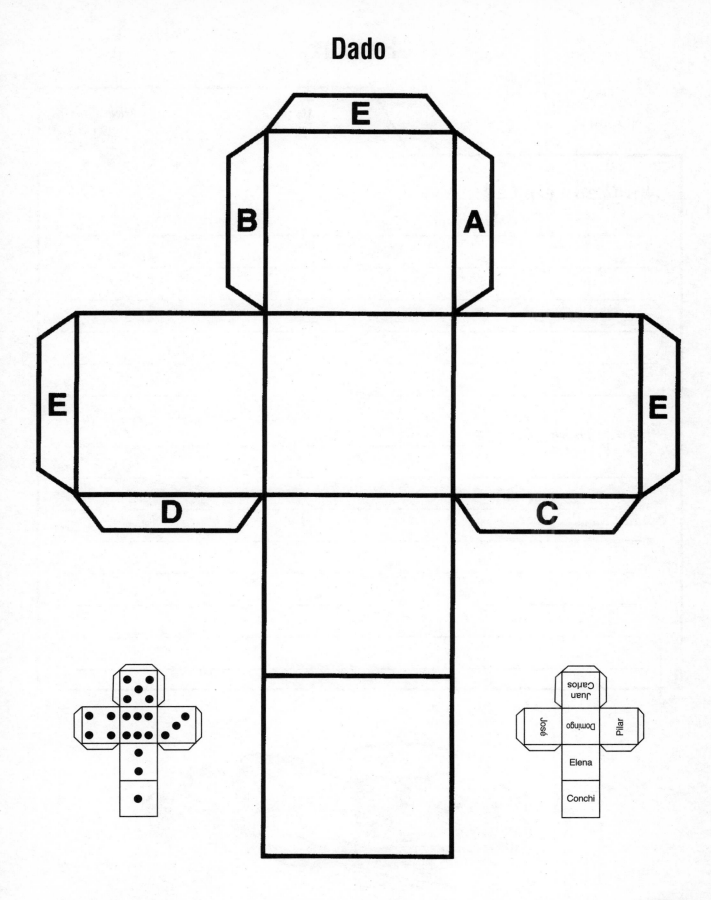

Receta

Ingredientes:

_____   _____

_____   _____

_____   _____

_____   _____

_____   _____

_____

Preparación: _____

_____

_____

_____

_____

_____

_____

_____

_____

Letras mayúsculas

A	B	C	D	E
F	G	H	I	J
K	L	M	N	Ñ
O	P	Q	R	RR
S	T	U	V	W
	X	Y	Z	

Letras minúsculas

a	á	b	c	d	e
é	f	g	h	i	í
j	k	l	m	n	ñ
o	ó	p	q	r	rr
s	t	u	ú	ü	v
	w	x	y	z	

Cuadro de números del 1 al 100

1 uno	2 dos	3 tres	4 cuatro
5 cinco	6 seis	7 siete	8 ocho
9 nueve	10 diez	11 once	12 doce
13 trece	14 catorce	15 quince	16 dieciséis
17 diecisiete	18 dieciocho	19 diecinueve	20 veinte
21 veintiuno	22 veintidós	23 veintitrés	24 veinticuatro
25 veinticinco	26 veintiséis	27 veintisiete	28 veintiocho
29 veintinueve	30 treinta	31 treinta y uno	32 treinta y dos
33 treinta y tres	34 treinta y cuatro	35 treinta y cinco	36 treinta y seis
37 treinta y siete	38 treinta y ocho	39 treinta y nueve	40 cuarenta
41 cuarenta y uno	42 cuarenta y dos	43 cuarenta y tres	44 cuarenta y cuatro
45 cuarenta y cinco	46 cuarenta y seis	47 cuarenta y siete	48 cuarenta y ocho
49 cuarenta y nueve	50 cincuenta	51 cincuenta y uno	52 cincuenta y dos
53 cincuenta y tres	54 cincuenta y cuatro	55 cincuenta y cinco	56 cincuenta y seis
57 cincuenta y siete	58 cincuenta y ocho	59 cincuenta y nueve	60 sesenta
61 sesenta y uno	62 sesenta y dos	63 sesenta y tres	64 sesenta y cuatro
65 sesenta y cinco	66 sesenta y seis	67 sesenta y siete	68 sesenta y ocho
69 sesenta y nueve	70 setenta	71 setenta y uno	72 setenta y dos
73 setenta y tres	74 setenta y cuatro	75 setenta y cinco	76 setenta y seis
77 setenta y siete	78 setenta y ocho	79 setenta y nueve	80 ochenta
81 ochenta y uno	82 ochenta y dos	83 ochenta y tres	84 ochenta y cuatro
85 ochenta y cinco	86 ochenta y seis	87 ochenta y siete	88 ochenta y ocho
89 ochenta y nueve	90 noventa	91 noventa y uno	92 noventa y dos
93 noventa y tres	94 noventa y cuatro	95 noventa y cinco	96 noventa y seis
97 noventa y siete	98 noventa y ocho	99 noventa y nueve	100 cien

Matemáticas

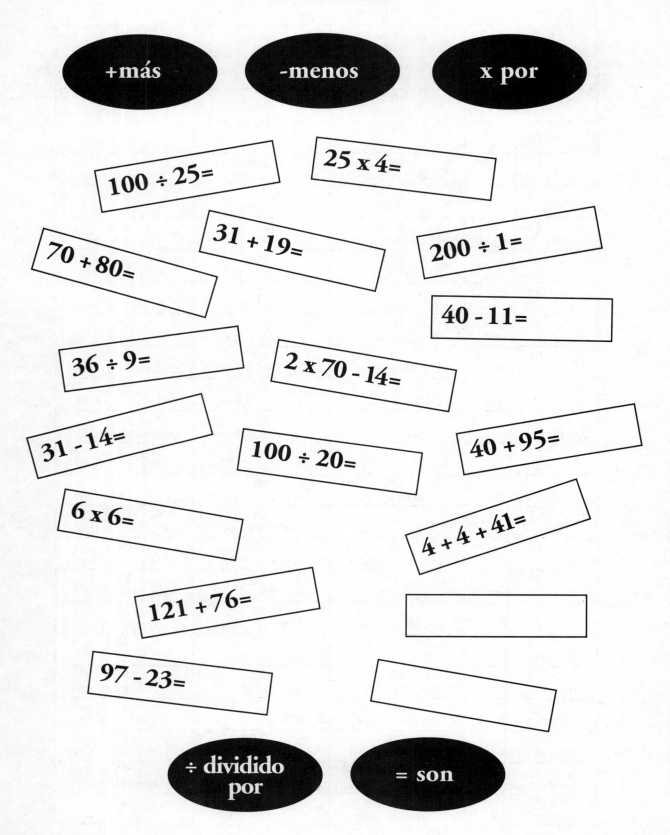

+más

-menos

x por

$100 \div 25 =$

$25 \times 4 =$

$31 + 19 =$

$200 \div 1 =$

$70 + 80 =$

$40 - 11 =$

$36 \div 9 =$

$2 \times 70 - 14 =$

$31 - 14 =$

$100 \div 20 =$

$40 + 95 =$

$6 \times 6 =$

$4 + 4 + 41 =$

$121 + 76 =$

$97 - 23 =$

÷ dividido por

= son

La hora

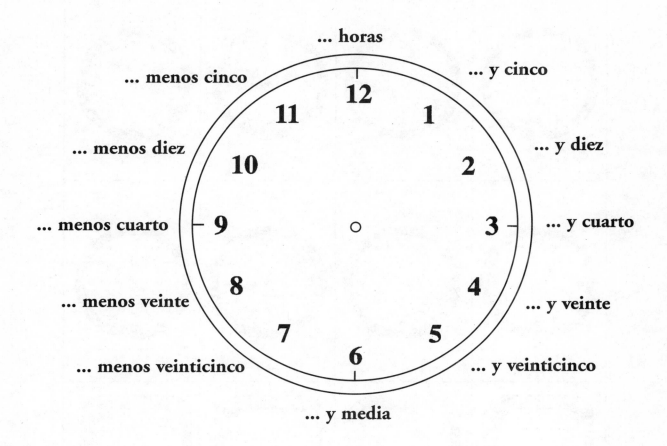

... horas

... y cinco

... menos cinco

... y diez

... menos diez

... y cuarto

... menos cuarto

... y veinte

... menos veinte

... y veinticinco

... menos veinticinco

... y media

Es la una.

Son las seis.

Son las doce./Es mediodía.

Son las doce./Es media noche.

¿Qué hora es?

El reloj

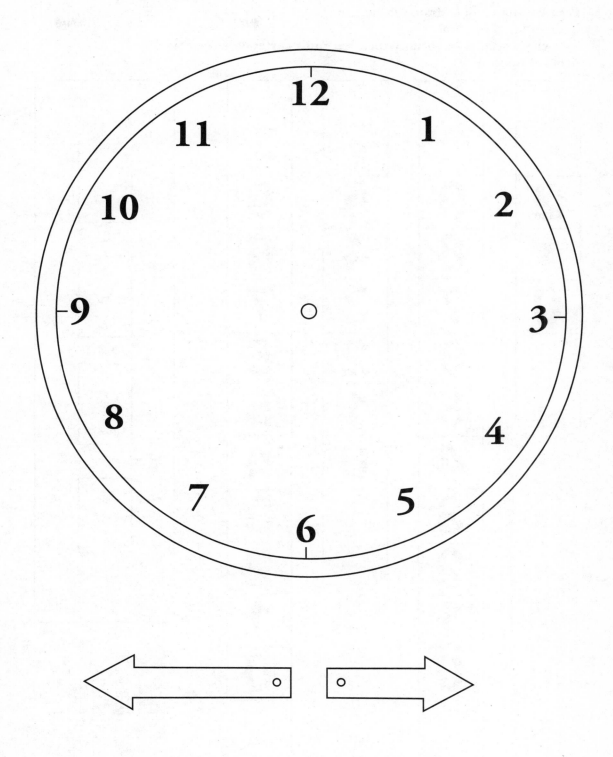

Reloj digital para armar

Necesitas: cartón, pegamento, unas tijeras y un cuchillo para cortar papel.
Pega la hoja en una lámina de cartón.
Recorta las cinco tiras.
Con el cuchillo para cortar papel, haz unos cortes en la marca.
Arma el reloj.

2	**9**	**5**	**9**
1	**8**	**4**	**8**
0	**7**	**3**	**7**
	6	**2**	**6**
	5	**1**	**5**
	4	**0**	**4**
	3		**3**
	2		**2**
	1		**1**
	0		**0**

Lotería

Número premiado ayer

ONCE

61159

Premio especial «SUELDAZOS»:
De la Serie 071 a la serie 080

SORTEOS DE LA SEMANA

LUNES, 4	**53.327**
Series de la 061 a la 070	
MARTES, 5	**55.108**
Series de la 071 a la 080	
MIERCOLES, 30	**72.776**
Series de la 011 a la 020	
JUEVES, 31	**32.523**
Series de la 051 a la 060	
VIERNES, 1	**53.419**
Serie 020	

Muchachos

Alberto	Gilberto	Martín
Alejandro	Guillermo	Mateo
Andrés	Gustavo	Miguel
Ángel	Héctor	Nicolás
Antonio	Hernán	Pablo
Armando	Ignacio	Pedro
Benjamín	Jaime	Rafael
Carlos	Javier	Ramón
Daniel	Jesús	Raúl
David	Joaquín	Ricardo
Diego	Jorge	Roberto
Eduardo	José	Rodrigo
Enrique	Juan	Rogelio
Ernesto	Julio	Santiago
Esteban	Lorenzo	Sergio
Felipe	Luis	Timoteo
Fernando	Manuel	Tomás
Francisco	Marcos	Víctor
Gerardo	Mario	

Muchachas

Alicia	Gloria	Patricia
Amalia	Inés	Paula
Ana	Isabel	Paz
Ángela	Josefina	Pilar
Blanca	Juana	Raquel
Carlota	Julia	Rosa
Carmen	Laura	Sandra
Carolina	Lucía	Sara
Catalina	Luisa	Silvia
Claudia	Luz	Sofía
Cristina	Margarita	Susana
Diana	María	Teresa
Dolores	Marisol	Verónica
Elena	Marta	Victoria
Elisa	Mercedes	Virginia
Esperanza	Mónica	Yolanda
Eva	Natalia	
Gabriela	Paloma	

Se habla español en los Estados Unidos (estados)

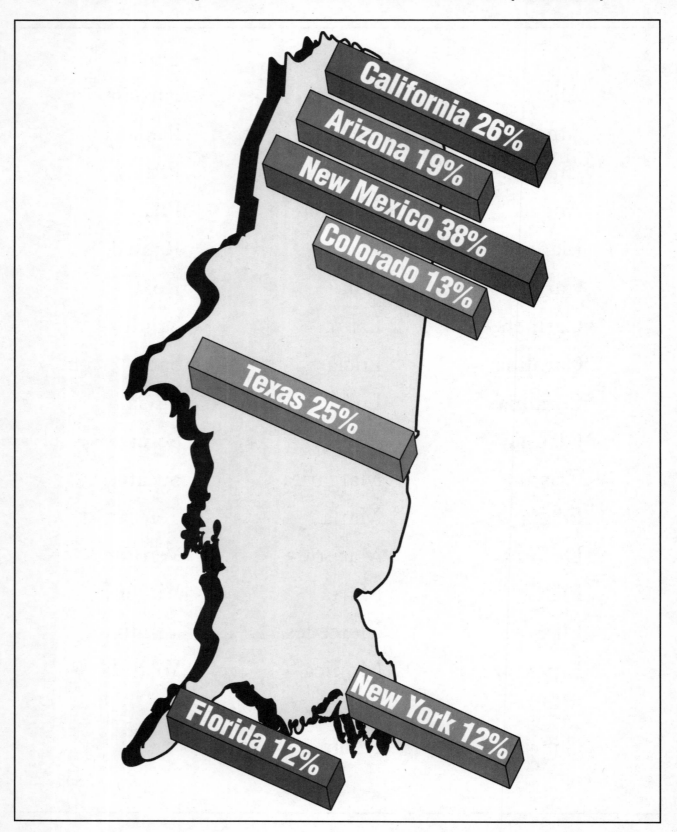

Se habla español en los Estados Unidos (ciudades)

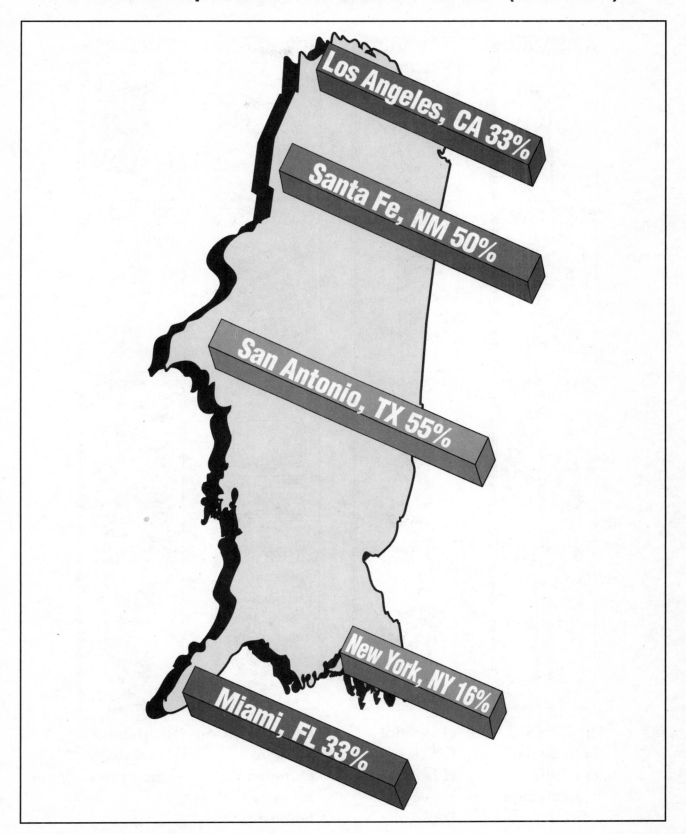

Los Angeles, CA 33%

Santa Fe, NM 50%

San Antonio, TX 55%

New York, NY 16%

Miami, FL 33%

Las asignaturas

el alemán	el español	la computación	la química
la biología	la física	el inglés	los trabajos
el dibujo	el francés	el italiano	manuales
la educación	la geografía	las matemáticas	
física	la historia	la música	

Horario escolar

HORARIO ESCOLAR	LUNES	MARTES	MIÉRCOLES	JUEVES	VIERNES
09:00					
10:00					
11:00					
12:00					
13:00					
14:00					
15:00					
16:00					
17:00					

Las calificaciones

Curso:			Trimestre:
Apellido:			
Nombre(s):			
Clase:			
Asignatura	**Trabajo**	**Notas**	**Observaciones del profesor**
Matemáticas			
Física			
Biología			
Español			
Francés			
Inglés			
Historia			
Geografía			
Computación			
Trabajos Manuales			
Dibujo			
Música			
Alemán			
Nivel general			

Necesita trabajar más.
¡Buen trabajo!
Alumno/a muy peresozo/a.
No escucha al profesor/
  a la profesora.
Participa bastante en la clase.
Tiene dificultades de
  comprensión.

Habla demasiado.
Un poco tímido/a.
Progreso en la lectura.
Falta voluntad.
Sigue con problemas.
Va mal en la lengua escrita.
Progresa en la lengua oral.
Alumno/a muy inteligente.

Plano del colegio

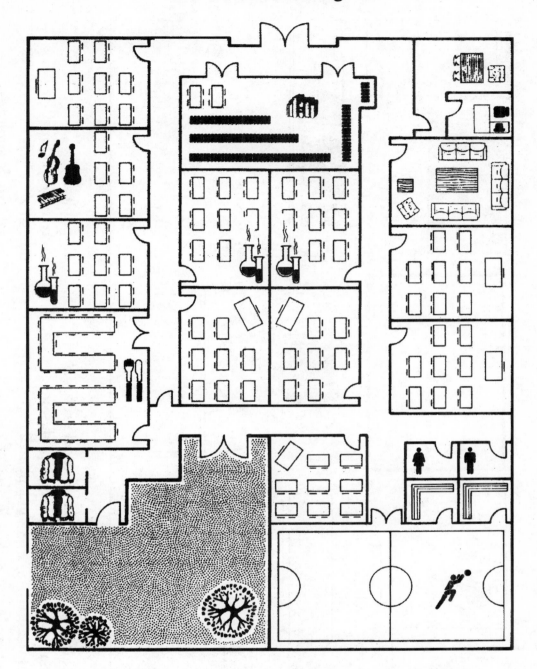

la oficina del director/de la directora	la sala de profesores
la cafetería	el campo de deportes
la secretaría	los servicios
el campo de recreo	los vestuarios
el gimnasio	la sala de estudio
los laboratorios	la sala de música
las clases	la sala de recibo

La clase

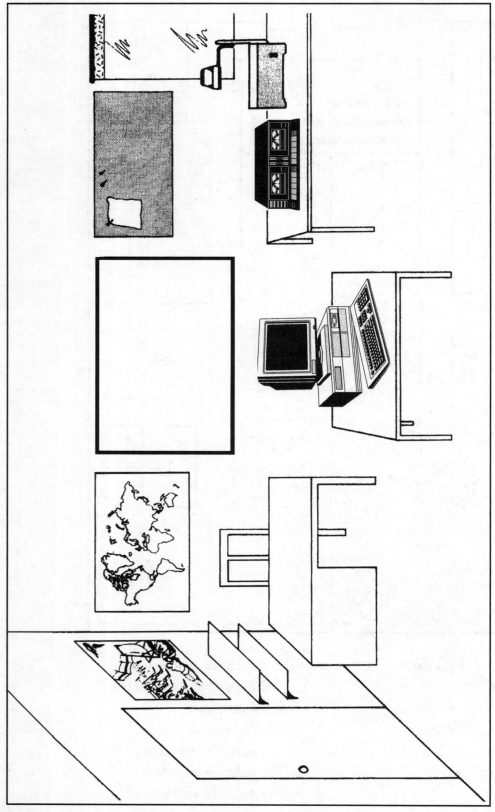

un pupitre
un retroproyector
una silla
un tablero de anuncios

la mesa del profesor/
de la profesora
una pantalla
la pizarra
la puerta

una computadora
una estantería
una grabadora
un mapa del mundo
una mesa

Elementos para la clase

un atlas
un bolígrafo
una bolsa de lápices
una calculadora
una mochila

el disco compacto
un compás
una computadora
un cuaderno
un diccionario

una goma de borrar
un lápiz
un libro
una regla
un sacapuntas

Reglas de la clase

Reglas

Colegio: _____

Clase: _____

Las reglas de esta clase son:

1.

2.

3.

4.

5.

6.

7.

8.

9.

10.

Firmas: **Profeor(a)**

                                               Alummos

Calendario para armar

Necesitas: cartón, pegamento, unas tijeras y un cuchillo para cortar papel.
Pega la hoja en una lámina de cartón.
Recorta las cinco tiras.
Con el cuchillo para cortar papel, haz unos cortes en la marca.
Arma el calendario.

ENERO			
FEBRERO			
MARZO	9	9	3
ABRIL	8	8	2
MAYO	7	7	1
JUNIO	6	6	0
JULIO	5	5	
AGOSTO	4	4	
SEPTIEMBRE	3	3	
OCTUBRE	2	2	
NOVIEMBRE	1	1	
DICIEMBRE	0	0	

200

ENERO
FEBRERO
MARZO
ABRIL
MAYO

9
8
7

3

9
8
7

1 5 JULIO 200 5

3
2
1
0

AGOSTO
SEPTIEMBRE
OCTUBRE
NOVIEMBRE
DICIEMBRE

3
2
1
0

Mi agenda

Mes de _____

...lunes

8	_____	14	_____
9	_____	15	_____
10	_____	16	_____
11	_____	17	_____
12	_____	18	_____

...martes

8	_____	14	_____
9	_____	15	_____
10	_____	16	_____
11	_____	17	_____
12	_____	18	_____

...miércoles

8	_____	14	_____
9	_____	15	_____
10	_____	16	_____
11	_____	17	_____
12	_____	18	_____

...jueves

8	_____	14	_____
9	_____	15	_____
10	_____	16	_____
11	_____	17	_____
12	_____	18	_____

...viernes

8	_____	14	_____
9	_____	15	_____
10	_____	16	_____
11	_____	17	_____
12	_____	18	_____

...sábado

8	_____	14	_____
9	_____	15	_____
10	_____	16	_____
11	_____	17	_____
12	_____	18	_____

...domingo

8	_____	14	_____
9	_____	15	_____
10	_____	16	_____
11	_____	17	_____
12	_____	18	_____

La estudiante nueva

A buscar trabajo

Se busca secretario/a bilingüe. Compañía multinacional en Miami. Bilingüe español-inglés o español-francés. Responsabilidades diversas.

Con experiencia (3 años). $28.000 anuales. Para más información llame al (305) 555-6600.

BANCO PEREGRINO, ubicado en San Antonio, Texas, necesita Director/a de Cuentas Extranjeras. Viajar entre EE. UU. y Monterrey, México. Se prefiere persona bilingüe, capaz de organización y gestión. Experiencia mínima de 5 años. $50K anuales + 401K. Enviar curriculum vitae con teléfono a: Banco Peregrino, Box 1217, San Antonio, TX 78296-1217.

Academia Las Cruces. Se buscan profesores y tutores en las materias de Español, Historia Norteamericana y Literatura para el semestre del otoño. Maestría (M.A.) necesaria. Buen salario, apartamento gratuito en nuestra residencia. 8–10 años exper. Enviar CV, 2 cartas de recomendación: Academia Las Cruces, Oficina del Decano, University Park, NM 87622.

Colegio San Luis Rey

Calle 43 S.E. 869
Reparto Metropolitano, Río Piedras, P.R.
Tel. 767-4006

MATRICULA

KINDER A OCTAVO GRADO
HORARIO ESCOLAR 7:45 AM – 1:15 PM

1. Acreditado por DIP.

2. Miembro: National Catholic Assoc. y Asociación de Escuelas Católicas.

3. Grupos reducidos.

4. Uso computadora en clase de Matemáticas.

5. Laboratorio de Inglés, Español y Ciencias.

6. Educación Física y Música.

7. Club de Drama.

8. Servicio de cafetería.

9. Cuido y supervisión asignaciones para estudiantes 1-6 grado de 1:15 PM–5:00 PM.

TV Doce

12:00	LOS PICAPIEDRAS
12:30	CHESPIRITO
1:00	TELE 2 EN VIVO
1:30	Lazos de Amor
2:30	Canción de amor
3:30	BRAVESTARR
4:00	EXO SQUAD
4:30	LOS CABALLEROS DEL ZODIACO
5:00	Luz Clarita
6:00	EL FANTASMA
6:25	TELE 2 EN VIVO
7:00	Pacific BLUE
8:00	Cañaveral de Pasiones
9:00	Sentimientos Ajenos
10:00	Medias de Seda
11:00	TELE 2 (Reprisse)
11:30	CINEMA NOCTURNO I
1:30	CINEMA NOCTURNO II

56 Capítulo 2   Navegando 1 Activities for Proficiency   © EMC

Mapa de México

Tijuana

Ciudad Juárez

Hermosillo

Chihuahua

La Paz

Monterrey

Golfo de México

Guadalajara

Mérida

Cancún

Ciudad de México

Veracruz

Acapulco

Oaxaca

Océano Pacífico

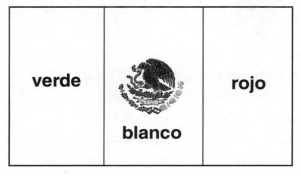

verde

blanco

rojo

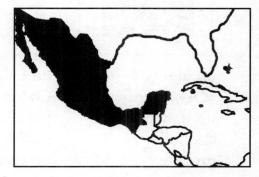

Lugares de interés

un albergue juvenil   un colegio   una iglesia   la oficina de
el Ayuntamiento   Correos   un hospital   turismo
un banco   la comisaría   un parque   una piscina
el castillo   una discoteca   un mercado   una plaza de toros
un cine   un estadio   un museo   un supermercado
                                                      un teatro

Medios de transporte

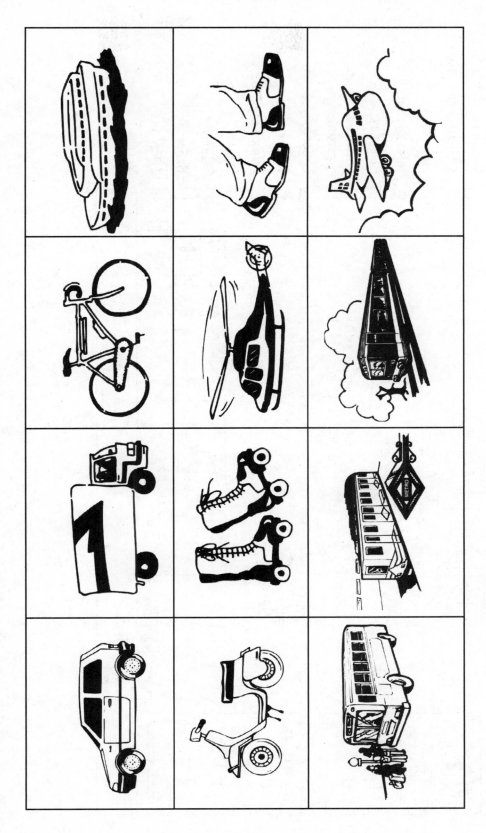

en autobús
en avión
en barco
en bicicleta

en camión
en carro
en el metro
en helicóptero

en moto
en patines de ruedas
a pie
en tren

En la estación del tren

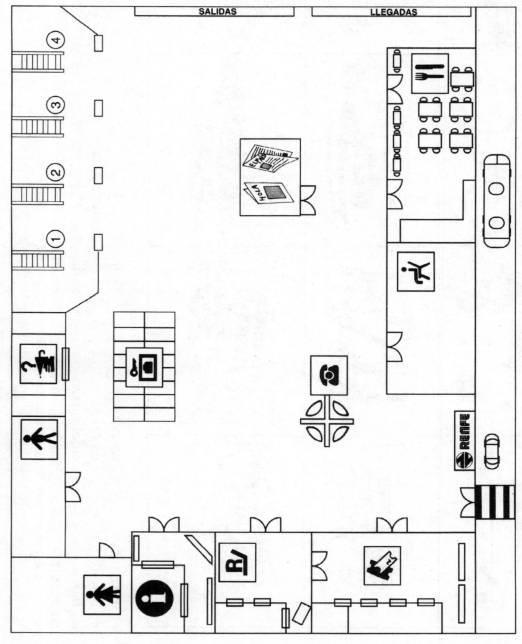

Acceso a los andenes
Andén
Cafetería
Consigna (automática)
Despacho de billetes
Horarios
Información
Llegadas
Oficina de objetos perdidos
Quiosco
Reservaciones
Sala de espera
Salida
Salidas
Baños
Teléfonos
Vía

SALIDAS

LLEGADAS

Cuentas de café y de restaurante

Café Cuatro Estaciones

Paseo de la Reforma 500
Col. Juárez, México D.F.

Mesa Nº.................... Mesero........................

Total		

Restaurante Los Tres Caballeros

Amberes 15,
Col. Juárez, México D.F.

Mesa Nº _____

Entrada	
Plato principal	
Postre	
Servicio 10%	
TOTAL	

Las tiendas

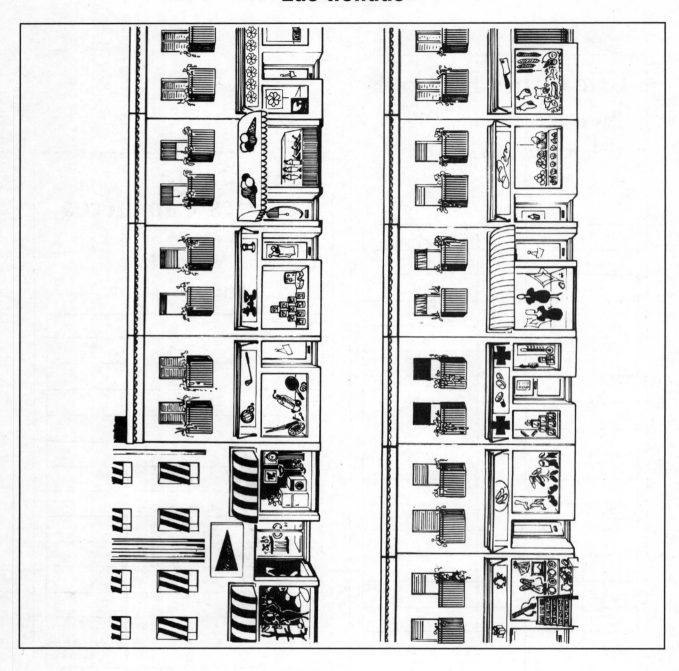

la carnicería
la florería
la farmacia
el gran almacén
la heladería
la panadería
la tienda de
   comestibles
la tienda deportiva
la tienda de modas
la tienda de
   recuerdos
la zapatería

Chapultepec

TRANSPORTACIÓN TURÍSTICA Y EJECUTIVA

Chapultepec

************LO MEJOR EN MÉXICO EN TRANSPORTACIÓN EJECUTIVA Y TURÍSTICA**

* Limousines Mercury
* Sedans, Taurus, Mercury, Marquis
* Cadillacs Lincolns
* Combis, Suburbans, Vans
* Minibuses Panorámicos

* Autobuses Dina Panorámicos
* Renta de Aviones
* Edecanes
* Congresos y Convenciones
* Ejecutivos y Extranjeros

* Diplomáticos
* Bodas
* Turismo
* Traslado al Aeropuerto
* Por hora o por día, con chofer/guía bilingüe

45 AÑOS DE EXPERIENCIA HABLAN DE NUESTRO SERVICIO

277-23-04   516-07-70   516-08-50   516-01-57

RAFAEL REBOLLAR No 124 C.P. 11850 COL. SAN MIGUEL CHAPULTEPEC, MÉXICO D.F.

Hotel San Gabriel

Avenida de la Defensa, 23
MÉXICO, DF
294 87 86 / 294 87 42

DIRECCIONES Y TELÉFONOS DE URGENCIA Y DE INTERÉS

	TELÉFONO
URGENCIA	
POLICÍA	091
MÉDICO	297 33 33
INTERÉS	
Recepcionista	97
Autobús	256 29 39
Taxi	299 43 01
Restaurante La Azteca	357 55 02
Calle Ponce, 75	
Cafetería Don Chang	291 77 86
Avenida de la Defensa, 99	
Banco Nacional	356 19 61
Calle Once, 50	
Oficina de Turismo	354 00 01
Avenida de la Defensa, 98	
Cine Máximo	459 78 03
Calle 23 y Calle Ponce	
Metro—Información y horario	290 10 16

PARA MÁS INFORMACIÓN, FAVOR LLAMAR
AL/A LA RECEPCIONISTA AL 97.

¿QUÉ QUIERES, COMIDA MEXICANA?

RESTAURANTE EL MEXICANO

Mariachis   Ballet Folklórico

¡CLARO!

Lunch Buffet

Hora Feliz: 1 a 5 p.m.

Cena completa desde: $12.50 U.S.

Una muestra de las tradiciones clásicas y contemporáneas mexicanas: exquisita cocina, servicio de 1ª. clase, show de ballet folklórico y mariachi todos los días.

¡No hay duda!

La Mansión / Costa Blanca, Zona Hotelera, a un lado de Plaza Caracol.

Abierto diariamente de las 12 p.m. a medianoche.

Tel: 83-2122 / 83-2220

Planes especiales para grupos.

Mapa de Puerto Rico

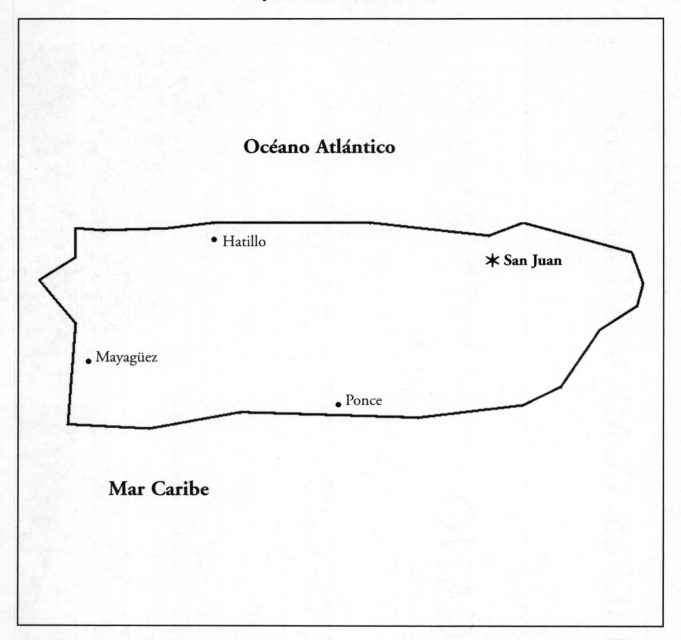

Océano Atlántico

• Hatillo

✳ San Juan

• Mayagüez

• Ponce

Mar Caribe

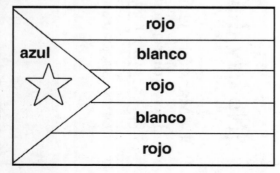

	rojo
azul	blanco
	rojo
	blanco
	rojo

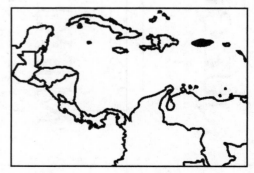

Mapa de la República Dominicana

Océano Atlántico

Puerto Plata

Santiago

Santo Domingo

Mar Caribe

azul	blanco	rojo
blanco		blanco
rojo	blanco	azul

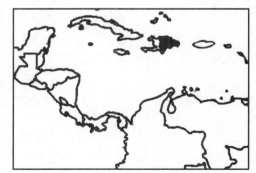

Árbol genealógico

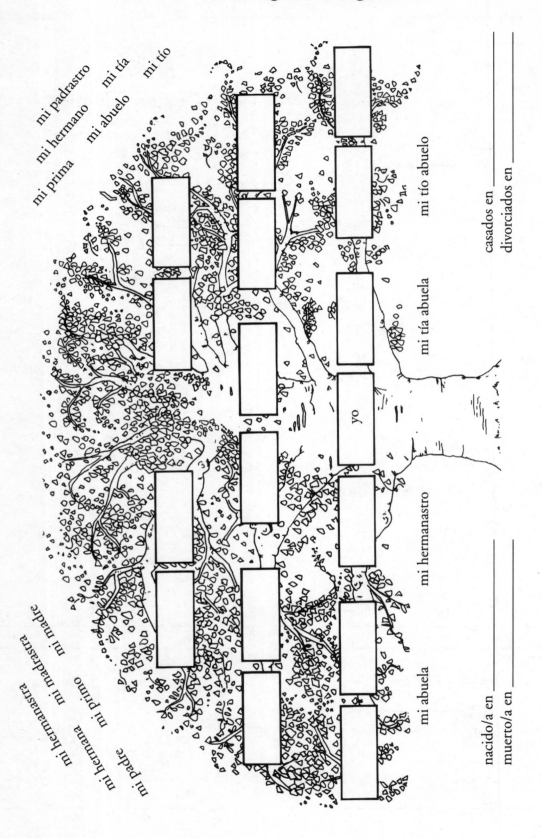

mi padrastro   mi tía   mi tío

mi hermano   mi abuelo

mi prima

mi tío abuelo

mi tía abuela

yo

mi hermanastro

mi abuela

casados en _____
divorciados en _____

nacido/a en _____
muerto/a en _____

mi hermanastra   mi madrastra   mi madre

mi hermana   mi primo

mi padre

Caras (descripciones físicas)

Partes para crear caras

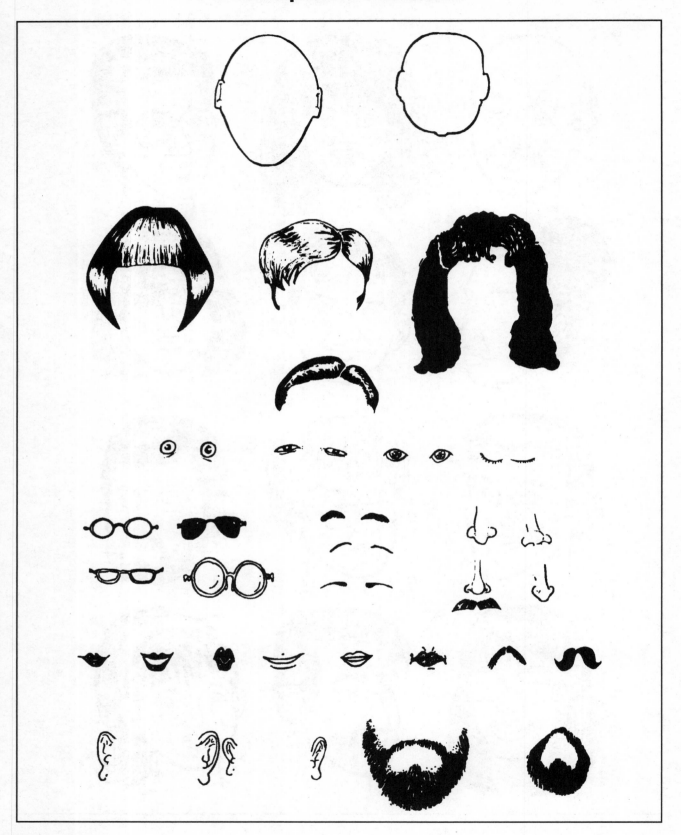

Navegando 1 Activities for Proficiency

Los deportes

practicar el ciclismo	hacer vela	jugar al rugby
practicar el esquí	jugar al bádminton	jugar al squash
hacer footing	jugar al básquetbol	jugar al tenis
hacer gimnasia	jugar al críquet	montar a caballo
practicar la natación	jugar al fútbol	practicar la pesca
patinar sobre ruedas	jugar al hockey	practicar el windsurf
hacer piragüismo	jugar al ping-pong	

Los pasatiempos

ir al teatro
ir a una corrida
ir a una discoteca
ir de paseo
ir de pesca
jugar a las cartas
jugar a al ajedrez
leer
sacar fotos
ver la tele

coleccionar
estampillas
escuchar música
hacer crucigramas
jugar al ping-pong
ir a la piscina
ir al cine

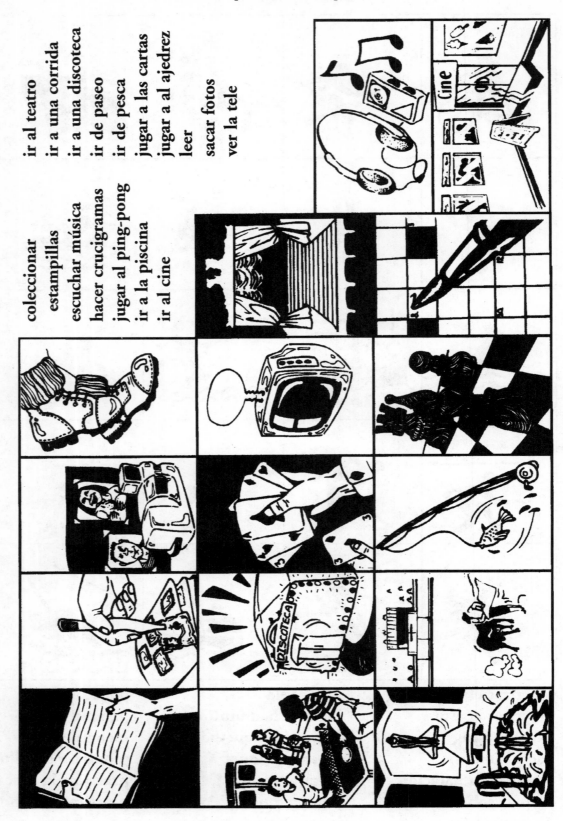

Encuesta

¿Te gusta(n)...?	me encanta(n)	me gusta(n)	me da(n) igual	no me gusta(n)	odio

En la televisión

los anuncios

un boletín meteorológico

un dibujo animado

un documental

las noticias

una obra de teatro

un partido

una película policiaca

un programa de deportes

un programa de música

una telenovela

un programa de vaqueros

En clave

EN CLAVE

balk = engaño, movimiento engañoso
ball = bola, pelota, la blanquita
baseball = béisbol
basepath = sendero, camino
bases loaded = bases llenas, cuatro pescados en una sartén

catcher = receptor
curve = curva
double = doble, tube
fastball = recta
first baseman = inicialista, el primer base
fly ball = bombo, elevado, palomita
ground ball = machucón, out de roleta, rolín
hit = hit, sencillo, batazo limpio, indiscutible, línea incogible
hit batsman = pelotazo
home run = cuadrangular, jonrón
inning = inning, entrada, episodio
1-2-3 inning = al paso de conga, tres hombres tres outs
mound = montículo, lomita
out = out, fuera el hombre
outfielder = jardinero, guardabosque
pitcher = lanzador, serpintero, abridor, relevista
player = pelotero, beisbolero
run = carrera, anotación
screwball = lanzamiento de tornillo, tirabuzón
second baseman = intermedista, el segunda base, camarero
shortstop = jardinero corto, paracorto, siore, torpedero
slider = destizadora
strike = strike, estrike
strikeout = ponche, ponchado, ponchete
swing = swing
third baseman = antesalista, el tercera base
triple = triple
wild pitch = lanzamiento salvaje, lanzamiento descontrolado

Los beisbolistas de la República Dominicana

Cruzando las lluvias tropicales que con frecuencia caen sobre la República Dominicana, una bola de béisbol surca el cielo para consagra nuevos ídolos de este deporte en los Estados Unidos.

Desde principios de siglo, la República Dominicana ha sido una verdadera fábrica de beisbolistas talentosos, tanto que hoy 17 de los 26 equipos de las Ligas Mayores tienen academias de béisbol en este país. Desde aquí se desarrolla el talento de algunos de los mejores jugadores. En 1990, más de 50 beisbolistas dominicanos brillaron por su vitalidad y estilo en las grandes ligas. Y la lista de nuevas figuras se hace mayor cada año.

Mapa de Costa Rica

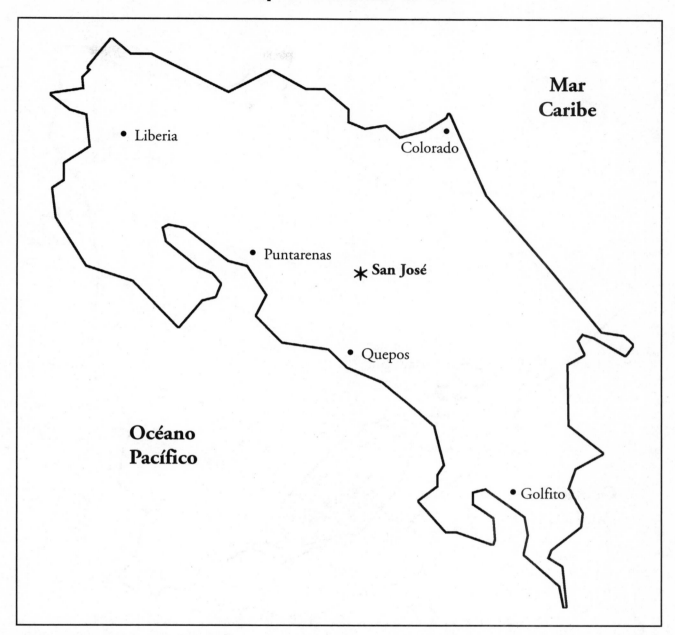

Mar
Caribe

• Liberia

Colorado

Puntarenas

✳ San José

Quepos

Océano
Pacífico

• Golfito

azul
blanco
rojo
blanco
azul

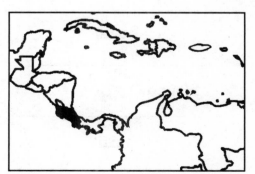

Mapa de Nicaragua

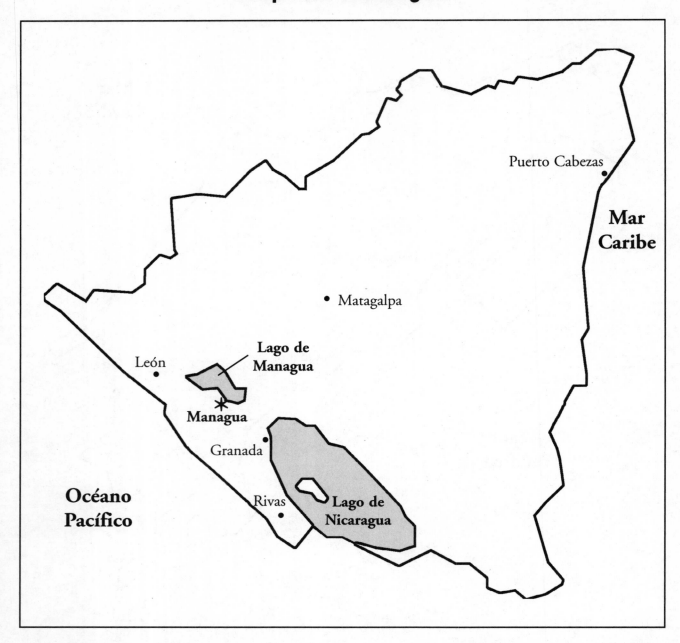

Puerto Cabezas

Mar Caribe

• Matagalpa

Lago de Managua

León

Managua

Granada

Rivas

Lago de Nicaragua

Océano Pacífico

azul

blanco

azul

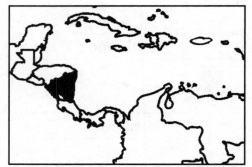

Animales

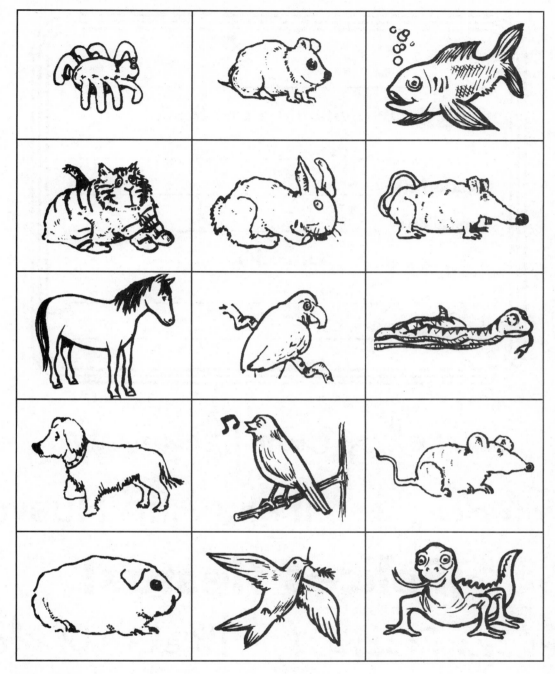

una araña	un gato	un perro
un caballo	un hámster	un pez de colores
un canario	un lagarto	una rata
un cobayo	un loro	un ratón
un conejo	una paloma	una serpiente

Invitación

Te invitamos a una fiesta

el _____ de _____

desde la(s) _____

hasta la(s) _____

Dirección

_____

_____

¡Feliz cumpleaños!

Saludos   ¡Feliz Año Nuevo!

¡Felices fiestas!

¡Felices Pascuas!   ¡Felicidades!

¡Feliz Navidad!

¡Felicidades en el día de tu santo!

¿QUÉ TENEMOS?
DIVERSIDAD DE ESPECIES EN COSTA RICA

En Costa Rica se estima que existen 505,664 especies, de las cuales alrededor de 350,000 son artrópodos: arañas, insectos, ciempiés, entre otros. De las 504,664 especies, que se esperan existan en el país, solamente 84.399 han sido descritas (esto es, que los científicos las han podido conocer y clasificar); más del 79% de ellas son artrópodos. El otro grupo mayoritario es el de plantas. Se han descrito alrededor de 10,353 especies. Se ilustra el tema con un cuadro que es tomado del Estudio Nacional de Biodiversidad y está resumido por reinos. Además incluyendo al grupo de los virus.

En el cuadro, se entiende por especies esperadas, las que se estima que hay en país, de acuerdo con los estudios realizados previamente y por especies descritas las que los investigadores han localizado, estudiado y clasificado.

DIVERSIDAD DE ESPECIES POR REINOS

REINOS		ESPECIES ESPERADAS	ESPECIES DESCRITAS	REINOS		ESPECIES ESPERADAS	ESPECIES DESCRITAS
				VIRUS	VIRUS	8,000	125
ANIMALIA	PORIFERA	550	50				
	CNIDARIA	500	125		BACTERIAS	2,500	120
	CTENOPHORA	10	2	MORENA	MYCOPLASMA	150	120
	PLATYHELMINTHES	1,200	168		CYANOPHYCOTA	1,200	13
	NEMATODA	1,000	85		BASIDIOMYCOTA	21,800	531
	NEMERITINEA	70	3				
	ANNELIDA	2,500	280	FUNGI	ASCOMYCOTA	29,700	201
	MOLLUSCA	3,000	1,050		MYXOMYXOTA	1,000	89
	ECHINODERMATA	60	15		DEUTEROMYCOTA	12,500	5
	ARTHOPODA				CHLOROPHYTA	2,000	74
	INSECTA	36,000	65,000		PHACOPHYTA	200	39
	OTROS ARTROPODOS	6,000	2,000				
	INVERTEBRADOS			ALGAE	RHODOPHYTA	400	180
	MENORES	2,000	400		CHRYSOPHYTA	2,000	175
	CHORDATA TUNICAT	60	6		PHYRRHOPHYTA	700	30
	CEPHALOCORDATA	10	2		EUGLENOPHYTA	50	5
	VERTEBRATA AGNATHA	2	1		BRIOPHYTA	1,800	1,052
	CHONDRIBHTHEYES	120	80		PSILOPHYTA	2	1
	OSTEICHTHYES	1,400	1,000		LYCOPODIOPHYTA	100	85
	AMPHIBIA	165	150	PLANTAE	EQUISETHOPHYTA	8	6
	REPTILIA	220	215		FILIXOPHYTA	1,100	1,000
	AVES	855	850		GYMNOSPERMA	11	9
	MAMMALIA	221	228		DICOTYLEDONAE	7,000	5,700
					MONOCOTILEDONAE	3,000	2,500
				PROTOZOA	PROTOZOOS	8,000	670
	SUBTOTAL	379,943	71,710		SUBTOTAL	125,821	12,678

TOTALES ESPECIES ESPERADAS 505,764
ESPECIES DESCRITAS 84,399

Mapa de Venezuela

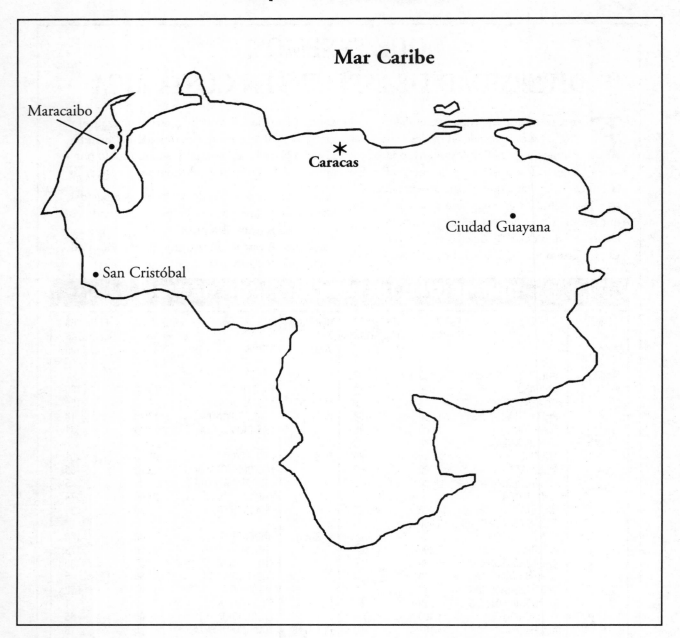

Mar Caribe

Maracaibo

* Caracas

Ciudad Guayana

San Cristóbal

amarillo

azul

rojo

Mapa de Colombia

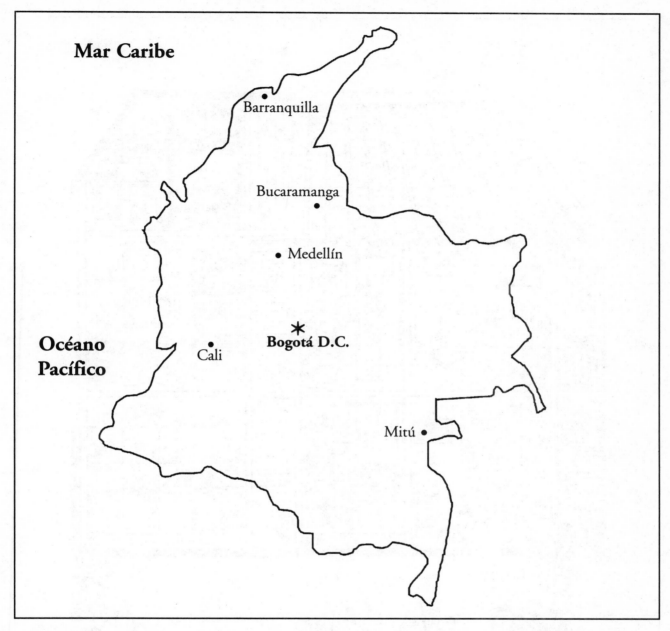

Mar Caribe

• Barranquilla

Bucaramanga
•

• Medellín

✳
Bogotá D.C.

Océano
Pacífico

• Cali

Mitú •

amarillo
azul
rojo

La casa

| la cocina | el baño | la escalera | el jardín |
| el comedor | un cuarto | el garaje | la sala |

La cocina

un armario
una botella
una cazuela
una estufa
un refrigerador
una cuchara
un cuchillo
un fregadero
un grifo
un lavaplatos
una mesa
un microondas
la pimienta
un platillo
un plato
una puerta
la sal
una silla
una taza
un tenedor
un vaso
una ventana

Navegando 1 Activities for Proficiency

El cuarto

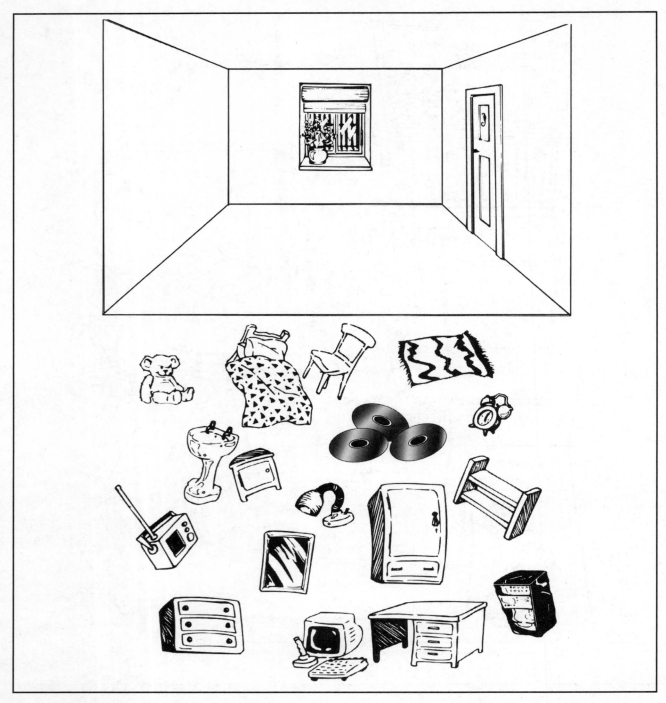

una alfombra	unos discos	un guardarropa	la pared
una cama	compactos	una lámpara	la puerta
una cómoda	un equipo de sonido	un lavabo	un radio
una computadora	un escritorio	una mesa de noche	una silla
un despertador	un espejo	un osito	la ventana

La sala

unos casetes	un mantel	un sofá
un espejo	una mesa	un televisor
unas fotos	un piano	una ventana
una grabadora	los postigos	un V.H.S.
una lámpara	un sillón	

Menú

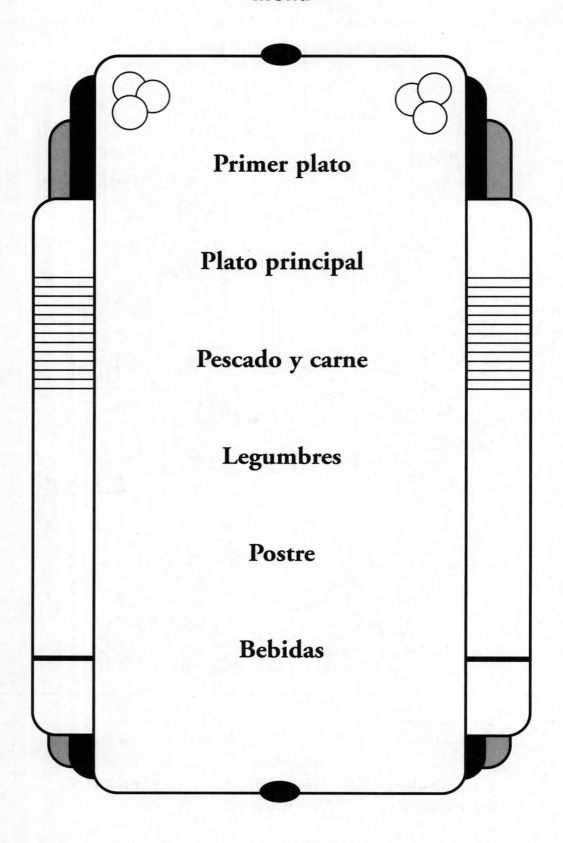

Primer plato

Plato principal

Pescado y carne

Legumbres

Postre

Bebidas

Ficha de cocina

Receta _____

Ilustración

Ingredientes

Modo de preparación

¿Cuánto tiempo para preparar?

Temperatura del horno

¿Cuánto tiempo para cocinar? / ¿Cuánto tiempo en el refrigerador?

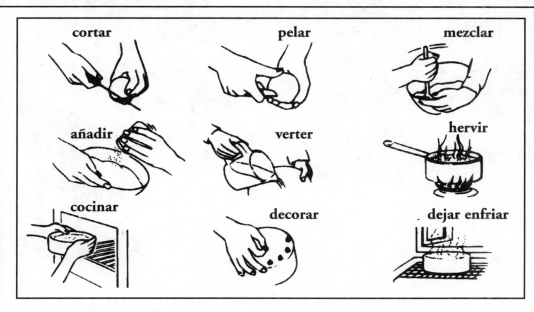

cortar   pelar   mezclar

añadir   verter   hervir

cocinar   decorar   dejar enfriar

En la cocina

En el comedor

Receta para hacer arepas

Las Arepas

Ingredientes

2 tazas de harina de maíz   2 cucharitas de sal

2 tazas de agua caliente

Preparación

Para empezar, poner la harina de maíz en una taza grande y poco a poco poner el agua con sal. Luego, **mezclar** el agua con la harina hasta que se convierta en masa. Después, **dejar** la masa **en reposo** por cinco minutos. Ahora, hacer con la masa unos **rollos** de 3" de diámetro y de 1" a 2" de **ancho**. En una **sartén** con un poquito de aceite, **cocinar** las arepas hasta ver los rollos **dorados**. Después, poner las arepas en el horno a 350 grados para cocinar por aproximadamente 30 minutos, hasta tener arepas **crujientes**.

Plano de una casa

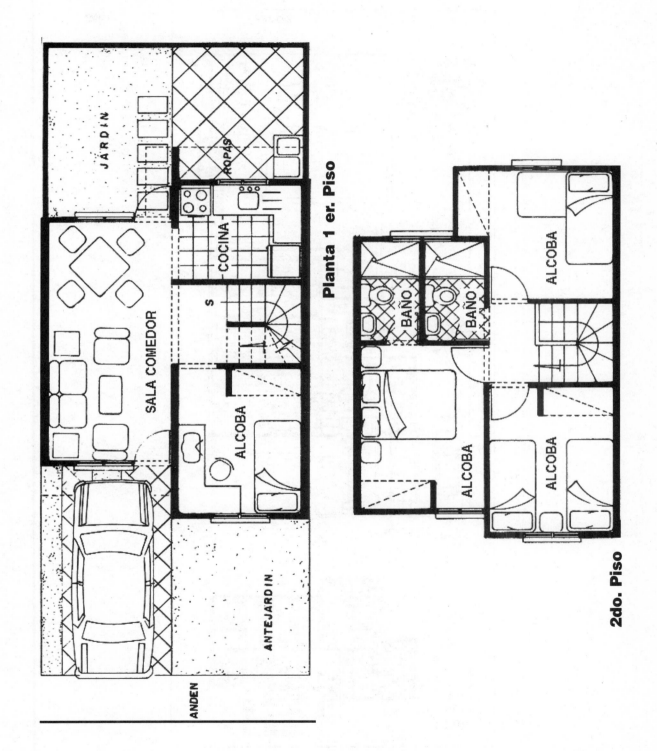

Planta 1 er. Piso

2do. Piso

Plano de una casa ideal

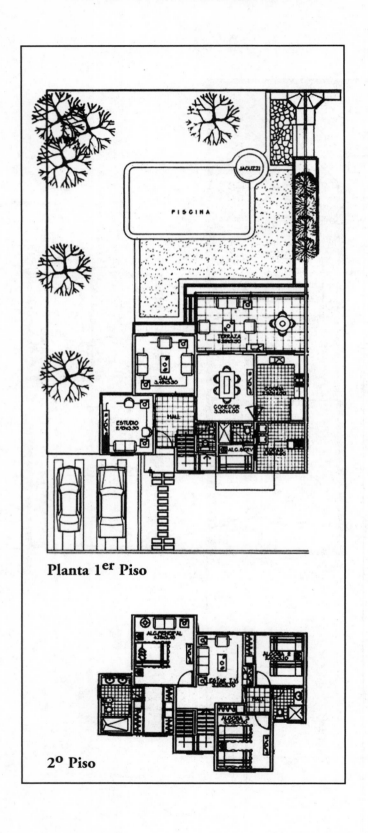

Planta 1er Piso

2º Piso

Mapa de Argentina

Mapa de Chile

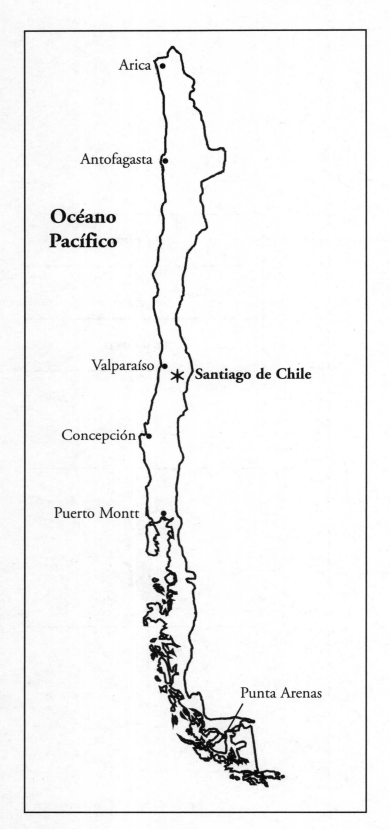

Arica

Antofagasta

**Océano
Pacífico**

Valparaíso ✳ **Santiago de Chile**

Concepción

Puerto Montt

Punta Arenas

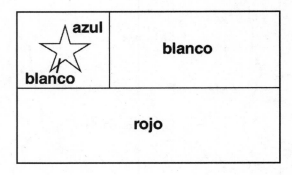

azul

blanco

blanco

rojo

En la primavera y en el verano

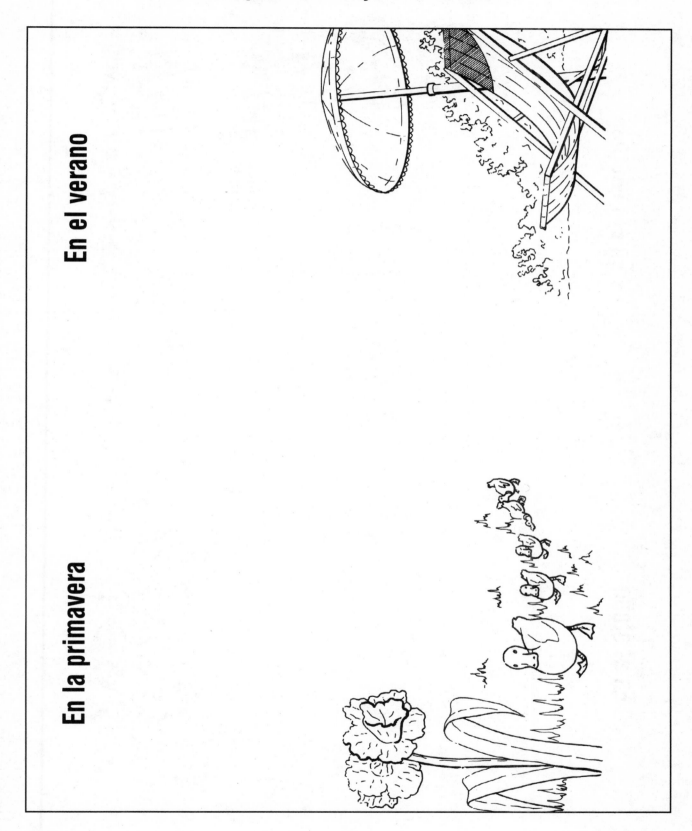

En el verano

En la primavera

En el otoño y en el invierno

En el invierno

En el otoño

Símbolos meteorológicos

hace buen tiempo   está cubierto   está nevando
hace calor   está despejado   está nuboso
hace frío   está helando   hay niebla
hace viento   está lloviendo   hay tormentas

El tiempo

Grados C

50

40

30

20

10

0

-10

Hoy

Hoy es el _____ de _____ 20 _____

Hace _____

El viento está _____

La temperatura es de _____ °C

Mañana

Pronóstico para mañana:

_____

_____

_____

Temperatura máxima _____ °C

Temperatura mínima _____ °C

Boletín meteorológico

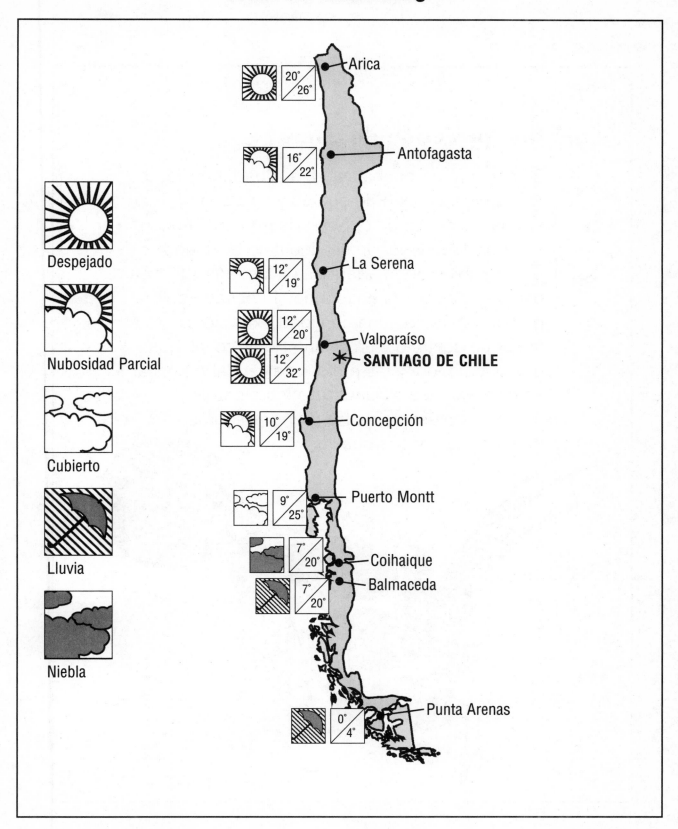

Despejado

Nubosidad Parcial

Cubierto

Lluvia

Niebla

Arica 20° / 26°

Antofagasta 16° / 22°

La Serena 12° / 19°

Valparaíso 12° / 20°

SANTIAGO DE CHILE 12° / 32°

Concepción 10° / 19°

Puerto Montt 9° / 25°

Coihaique 7° / 20°

Balmaceda 7° / 20°

Punta Arenas 0° / 4°

Una profesión de altura

Una profesión de altura

Se requiere de buena salud, agilidad, habilidad, resistencia, sentido de equipo y solidaridad. El básquetbol es un deporte de equipo. El buen jugador debe tener un sentido nato del juego, pero también debe adaptarse a las reglas tácticas establecidas por el entrenador. El basquetbolista profesional recibe una cantidad extra de dinero al firmar un contrato y un salario fijo. Pero, al igual que otros deportistas profesionales, debe pensar en otro oficio para cuando se retire porque, aunque el prestigio de las grandes figuras atrae a muchos, hay pocos puestos.

Mapa de España

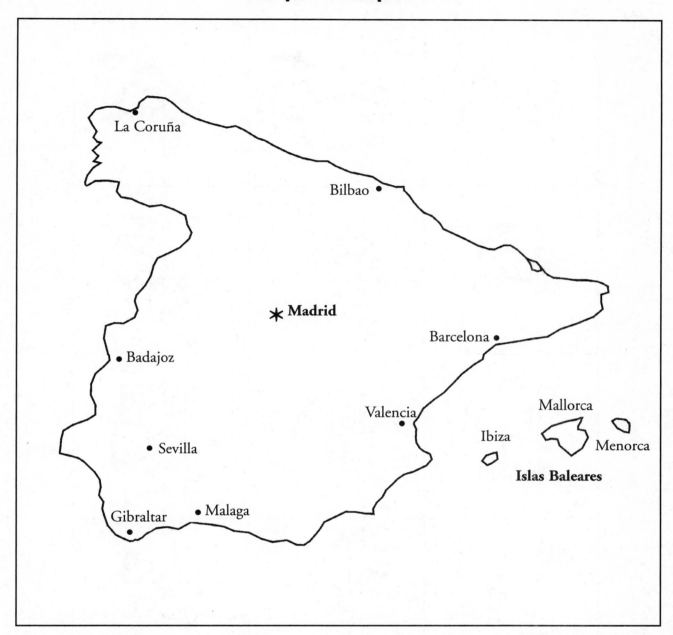

La Coruña

Bilbao

★ **Madrid**

Barcelona

Badajoz

Valencia

Mallorca

Ibiza

Menorca

Sevilla

Islas Baleares

Gibraltar   Malaga

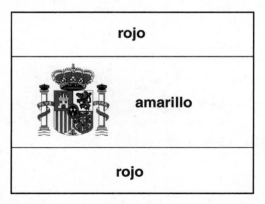

rojo

amarillo

rojo

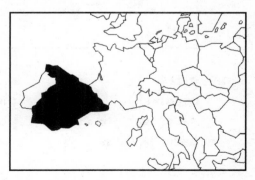

¿Qué quehaceres hago?

barrer
cocinar
hacer arreglos caseros
hacer la cama

pasar la aspiradora
planchar
poner la mesa
trabajar en el jardín

pasar la aspiradora
planchar
poner la mesa
trabajar en el jardín

Billetes de tren y de autobús

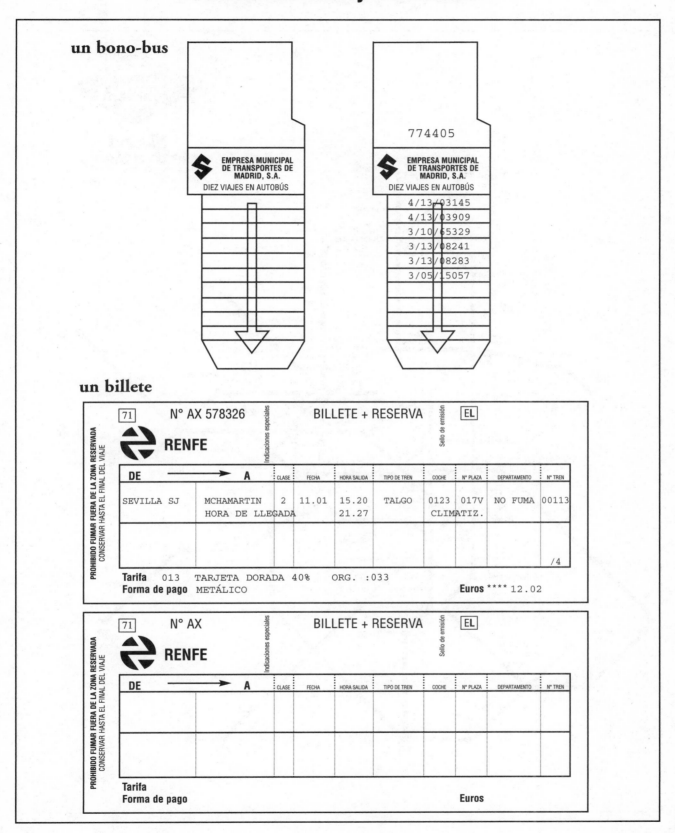

un bono-bus

EMPRESA MUNICIPAL DE TRANSPORTES DE MADRID, S.A.
DIEZ VIAJES EN AUTOBÚS

774405

EMPRESA MUNICIPAL DE TRANSPORTES DE MADRID, S.A.
DIEZ VIAJES EN AUTOBÚS

4/13/03145
4/13/03909
3/10/65329
3/13/08241
3/13/08283
3/05/15057

un billete

| 71 | N° AX 578326 | | BILLETE + RESERVA | | | | | | | EL |

PROHIBIDO FUMAR FUERA DE LA ZONA RESERVADA
CONSERVAR HASTA EL FINAL DEL VIAJE

Indicaciones especiales

RENFE

Sello de emisión

DE →	A	CLASE	FECHA	HORA SALIDA	TIPO DE TREN	COCHE	N° PLAZA	DEPARTAMENTO	N° TREN
SEVILLA SJ	MCHAMARTIN	2	11.01	15.20	TALGO	0123	017V	NO FUMA	00113
	HORA DE LLEGADA			21.27		CLIMATIZ.			

/4

Tarifa 013 TARJETA DORADA 40% ORG. :033
Forma de pago METÁLICO

Euros **** 12.02

| 71 | N° AX | | BILLETE + RESERVA | | | | | | | EL |

PROHIBIDO FUMAR FUERA DE LA ZONA RESERVADA
CONSERVAR HASTA EL FINAL DEL VIAJE

Indicaciones especiales

RENFE

Sello de emisión

DE →	A	CLASE	FECHA	HORA SALIDA	TIPO DE TREN	COCHE	N° PLAZA	DEPARTAMENTO	N° TREN

Tarifa
Forma de pago

Euros

Plano del Metro de Madrid

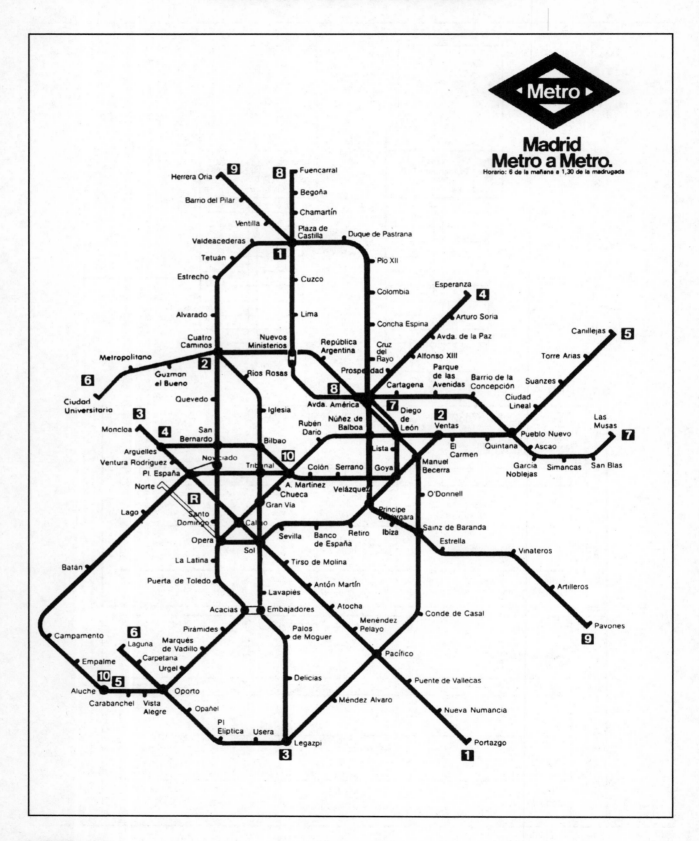

En el supermercado

el agua mineral	la carne de vaca	los huevos	la mermelada
el arroz	las papas fritas	el jamón	el pescado
el azúcar	el chorizo	la leche	el pollo
el bistec	la ensalada	las lentejas	el queso
el café	las galletas	la mantequilla	el yogur

Frutas y verduras

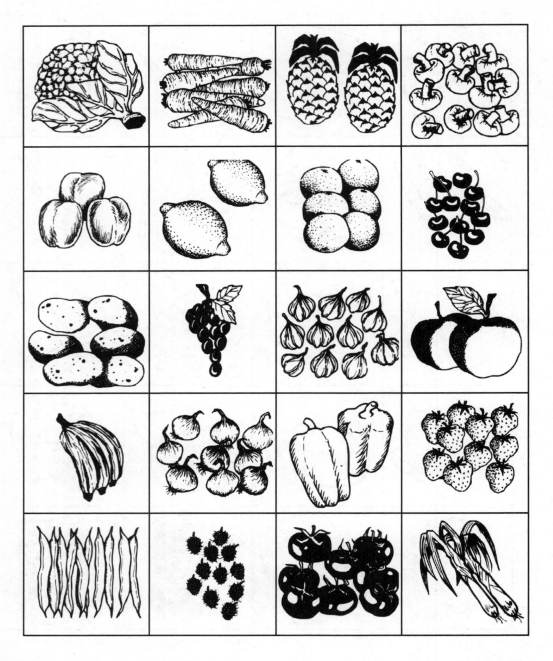

el ajo	la coliflor	las manzanas	los plátanos
los duraznos	las frambuesas	las naranjas	los puerros
las cebollas	las fresas	las papas	los tomates
las cerezas	las judías verdes	los pimientos	las uvas
los champiñones	los limones	las piñas	las zanahorias

Cantidades

una bolsa de...
un bote de...
una botella de...
una caja de...
una docena de...

un kilo de...
una lata de...
un litro de...
una lonja de...
media docena de...

un paquete de...
una porción de...
500 gramos/una libra de...
un tubo de...
un vaso de...

Etiquetas de precios

- 2,88 €
- 6,01 € la caja
- 6,91 €
- 4,81€ ○
- 36,05 €
- 0,60€ el kilo
- 1,26€ el kilo
- lote de 3 X 50cl 1,19€
- 5,71€
- 0,48 €
- 3,66 € el kilo
- 0,45€ 250 g.
- 0,72€ la lata
- 11,42 €
- 0,30 € la pieza
- la docena 0,96€
- 21,03€ ○
- 1,50 €
- 1,14 €
- 2,99 €
- 3,12 €

Los quehaceres

Receta para hacer paella

La Paella

Ingredientes (para seis personas)

1 pollo en pedazos
1 libra de pescado
1/2 chorizo en pedazos
1/2 libra de jamón en pedazos
1 lata de almejas
2 tazas de arroz
1 cebolla
2 dientes de ajo

2 zanahorias
3 tomates
1 lata de pimientos
1 taza de guisantes
5 hilos de azafrán
4 tazas de agua
2 cucharadas de aceite de oliva
sal y pimienta

Preparación

En una olla grande, poner un poco de aceite y añadir el pollo, el chorizo, el jamón, la cebolla, el tomate, la zanahoria, el ajo y cocinar por diez minutos. Luego, añadir el arroz y el agua y cocinar por otros diez minutos con la olla cubierta. Después, añadir media taza de guisantes, el pescado, los pimientos, las almejas, el azafrán y sal y pimienta al gusto y cocinar por otros diez minutos. Para terminar, adornar con la otra mitad de los guisantes, otra lata de pimientos (opcional) y un poco de perejil. Llevar a la mesa en la olla.

El arroz

UNA HISTORIA

El arroz

Este grano es el principal alimento de aproximadamente el 50% de la población mundial y es originario de la India. El 80% proviene de los países afectados por los monzones. Alejandro Magno lo llevó a Francia de su campaña en la India en el siglo III a.C., y los moros lo introdujeron en España en el siglo VIII. En este momento. Italia es el más grande productor de arroz en Europa. La primera plantación en América se hizo en el año 1685, exactamente en Carolina del Sur, en Estados Unidos. En la actualidad existen más o menos 2.500 especies de arroz, algunas rojas, azules o púrpuras y hay cultivos en todo el mundo.

Receta para hacer flan de queso

Flan De Queso

Ingredientes

Para 6 personas

1 bote pequeño de
leche condensada

2 vasos de leche

1 tarrina de queso
Philadelphia

4 cucharadas de azucar

Tiempo de preparación
1 hora

Dificultad
Para principiantes

Presentación
Adornado con nata

Conservación
2 días

Preparación

- Mezclar la leche condensada con la leche, añadir el queso con el zumo y ralladura de medio limón. Remover hasta que todo esté bien unido. Agregar los huevos batidos.

- Con el azúcar y el zumo del otro medio limón hacer un caramelo clarito. Bañar un molde de rosca de 20 cm. Llenar con la crema.

- Tapar con papel aluminio y cocer en el horno al baño María unos 45 minutos.

- Desmoldarlo templado.

Mapa de Panamá

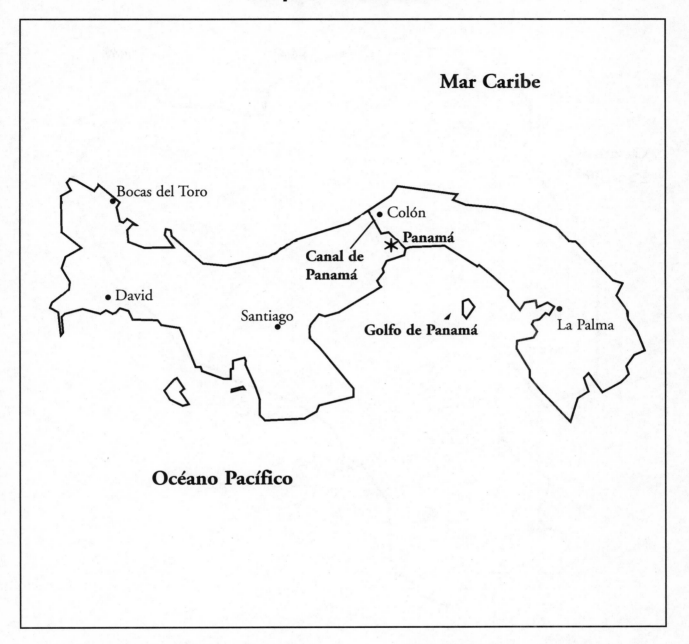

Mar Caribe

Bocas del Toro

Colón

Panamá

Canal de
Panamá

David

Santiago

Golfo de Panamá

La Palma

Océano Pacífico

blanco ☆ azul	rojo
azul	blanco ☆ rojo

Mapa de Ecuador

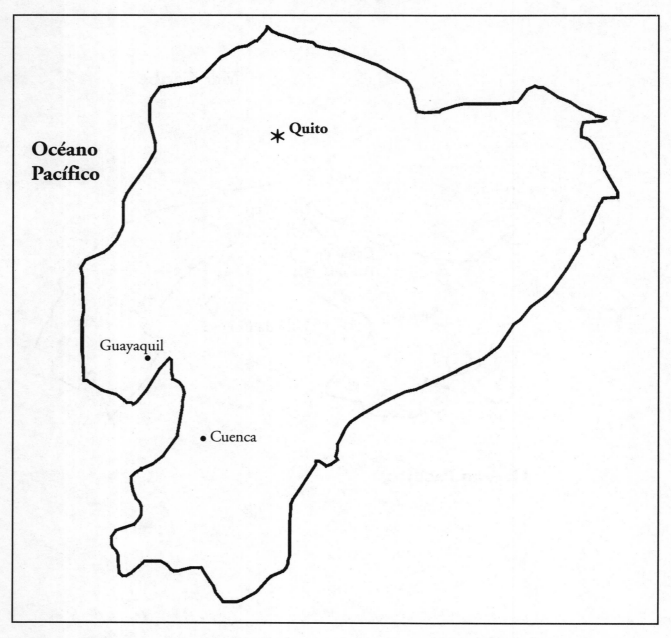

Océano
Pacífico

✱ Quito

• Guayaquil

• Cuenca

amarillo
azul
rojo

Maniquís

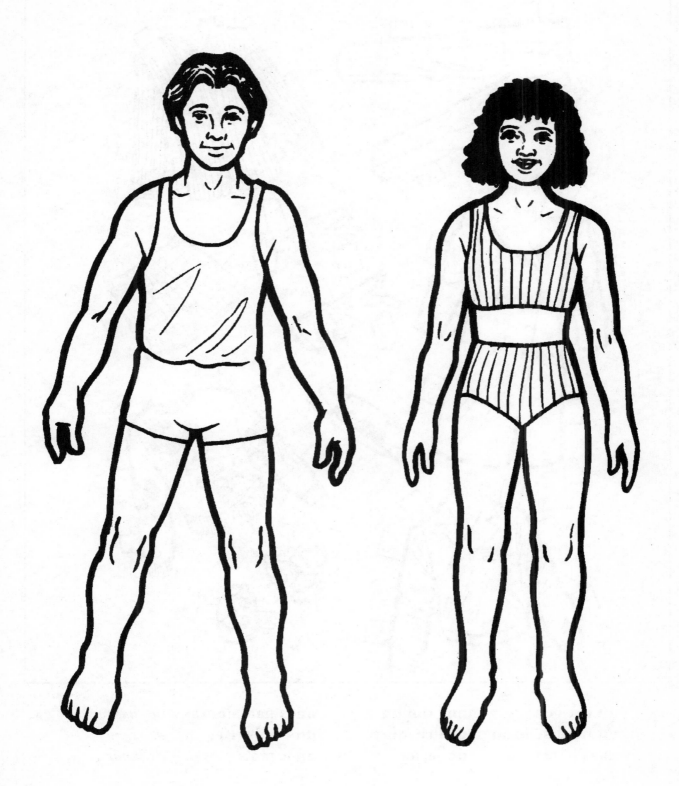

Ropa para hombre

un abrigo	**una camisa**	**unos pantalones**	*de cuadros*
un traje de baño	**una chaqueta**	**un sombrero**	*de rayas*
unas botas	**un jersey**	**unos tenis**	*de lunares*

Ropa para mujer

una blusa
unos calcetines
una camiseta
una falda
un impermeable

unos pantalones vaqueros
un suéter
un traje de baño
unos zapatos

de cuadros
de rayas
de lunares

Partes del cuerpo

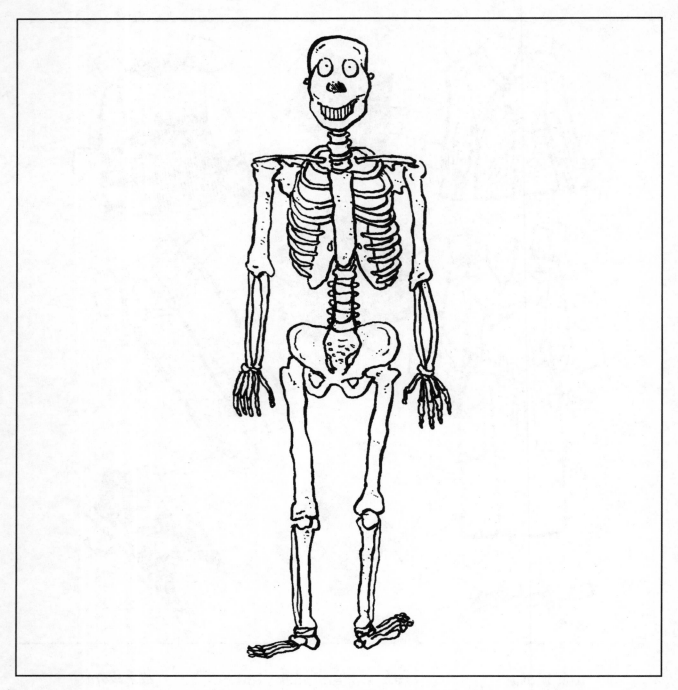

la boca	el cuello	el estómago	las orejas
la cabeza	los dedos	la mano	el pie
la cara	los dientes	la nariz	la pierna
el corazón	la espalda	los ojos	la rodilla

Dolores y enfermedades

le duele el brazo
le duele la cabeza
le duele el corazón
le duele la muela
le duele la espalda

le duele el estómago
le duele la garganta
le duele la mano
le duele la pierna
está mareado/a

está resfriado/a
tiene el brazo roto
tiene fiebre
tiene gripe
sufre de insolación

Zapatería

Bienvenido al centro de Panamá

Bienvenido

AL CENTRO DE PANAMA
Panamá es un país como pocos, con dos mares y un canal que nos une.

Permítanos mostrarle su fantasía y belleza mientras usted disfruta de la comodidad y atención del Hotel por excelencia de Panamá:

Hotel El Panamá.

Ubicado en el corazón del Centro Bancario y del Area Comercial, descanse en sus amplias habitaciones, y disfrute sus 3 Restaurantes, Canchas de Tenis, Centro de Convenciones, Gimnasio/Spa, Moderno Casino, Discoteca, y refrésquese en su Piscina Gigante.
Venga donde la comodidad y la fantasía no conocen límites.

HOTEL ★★★★★
El Panamá

Pilar aconseja

Pilar aconseja

tel. 2873908

Querida lectora:

Ya sé que Usted es una mujer moderna que tiene decidido estar siempre a la moda, o "in" que llaman ahora. Entonces, lo que tiene que hacer es visitar el almacén **Juana Teresa** y actualizar su guardarropa con los más hermosos conjuntos, vestidos y suéteres de lana; conjuntos y blusas en challis con diseños exclusivos; chaquetas, pantalones en paño, y sensacionales minifaldas en todos los materiales. En accesorios, ni hablar! Cinturones divinos, blusas, fantasías, vestidos de baño... Todo finísimo y de actualidad.

Juana Teresa está esperándola en la Cl. 95 No. 13-82, tel. 218 10 04.

Mapa de Guatemala

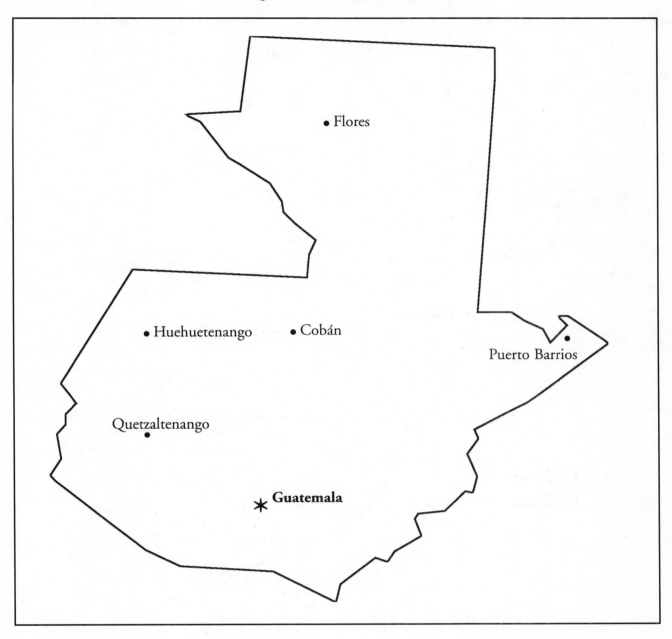

- Flores
- Huehuetenango
- Cobán
- Puerto Barrios
- Quetzaltenango
- ✱ **Guatemala**

azul claro **blanco** **azul claro**

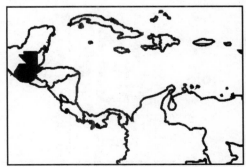

Mapa de Perú

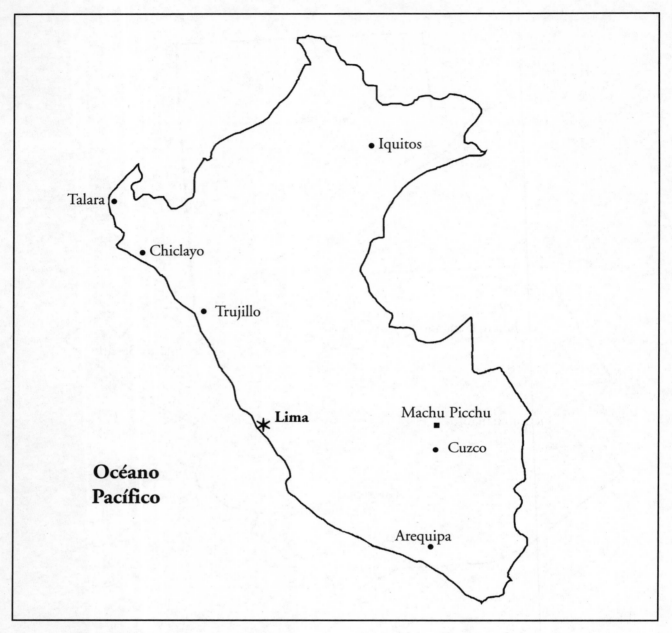

Iquitos

Talara

Chiclayo

Trujillo

Lima

Océano
Pacífico

Machu Picchu

Cuzco

Arequipa

rojo

blanco

rojo

Funciones de comunicación

The things you are learning how to do (communicative functions) in *Capítulo 1* are listed on the left side. On the right side, write a Spanish expression from the chapter that illustrates how you do this.

ask for and give names	
ask or tell where someone is from	
ask for and state age	
greet people and say good-bye	
ask and tell how someone is feeling	
express courtesy	
ask for and state the time	

Funciones de comunicación

The things you are learning how to do (communicative functions) in *Capítulo 2* are listed on the left side. On the right side, write a Spanish expression from the chapter that illustrates how you do this.

identify people and classroom objects	
ask for and give names	
ask or tell where someone is from	
discuss school schedules and daily activities	
describe classroom objects and clothing	
say some things people do	
state location	
talk about how someone feels	

Funciones de comunicación

The things you are learning how to do (communicative functions) in *Capítulo 3* are listed on the left side. On the right side, write a Spanish expression from the chapter that illustrates how you do this.

talk about places in a city	
make introductions and express courtesy	
ask and answer questions	
discuss how to go somewhere	
say some things people do	
say where someone is going	
talk about the future	
order food and beverages	

Funciones de comunicación

The things you are learning how to do (communicative functions) in *Capítulo 4* are listed on the left side. On the right side, write a Spanish expression from the chapter that illustrates how you do this.

talk about family and relationships	
seek and provide personal information	
express possession	
describe people and things	
say some things people do	
express an opinion	
state likes and dislikes	

Funciones de comunicación

The things you are learning how to do (communicative functions) in *Capítulo 5* are listed on the left side. On the right side, write a Spanish expression from the chapter that illustrates how you do this.

describe everyday activities	
say what someone is going to do	
seek and provide personal information	
say what someone likes or dislikes	
express strong feelings	
talk about dates and holidays	
write about everyday life	

Funciones de comunicación

The things you are learning how to do (communicative functions) in *Capítulo 6* are listed on the left side. On the right side, write a Spanish expression from the chapter that illustrates how you do this.

identify items in the kitchen and at the dinner table	
express obligations, wishes and preferences	
talk about everyday activities	
state an opinion	
discuss food and table items	
point out people and things	
describe a household	
tell what someone says	
say how someone is doing	

Funciones de comunicación

The things you are learning how to do (communicative functions) in *Capítulo 7* are listed on the left side. On the right side, write a Spanish expression from the chapter that illustrates how you do this.

talk about leisure time activities	
discuss sports	
say what someone can do	
discuss length of time	
describe what is happening	
talk about the seasons and weather	
indicate order	

Funciones de comunicación

The things you are learning how to do (communicative functions) in *Capítulo 8* are listed on the left side. On the right side, write a Spanish expression from the chapter that illustrates how you do this.

talk about household chores	
say what just happened	
ask for and offer help	
talk about the past	
identify and describe foods	
discuss food preparation	
make comparisons	

Funciones de comunicación

The things you are learning how to do (communicative functions) in *Capítulo 9* are listed on the left side. On the right side, write a Spanish expression from the chapter that illustrates how you do this.

describe clothing	
identify parts of the body	
express disagreement	
discuss size and fit	
talk about the past	
discuss price and payment	

Funciones de comunicación

The things you are learning how to do (communicative functions) in *Capítulo 10* are listed on the left side. On the right side, write a Spanish expression from the chapter that illustrates how you do this.

talk about everyday activities	
express emotion	
discuss past actions and events	
indicate wishes and preferences	
talk about the future	

Los sustantivos

Unlike English, all nouns in Spanish are either masculine or feminine. Masculine nouns usually end in *-o* and feminine nouns often end in *-a*. Both masculine and feminine nouns usually are made plural by adding *-s*.

	masculino	**femenino**
singular	*un libro*	*una regla*
plural	*unos libros*	*unas reglas*

libro

libros

Las palabras interrogativas

You are already familiar with several words used for asking information questions:

¿Cómo estás?	**How** are you?
¿Cuál es tu mochila?	**Which (one)** is your backpack?
¿Cuáles son?	**Which (ones)** are they?
¿Cuándo es la fiesta?	**When** is the party?
¿Cuánto es?	**How much** is it?
¿Cuántos hay?	**How many** are there?
¿Dónde está ella?	**Where** is she?
¿Por qué está él allí?	**Why** is he there?
¿Qué es?	**What** is it?
¿Quién es de México?	**Who** is from México?
¿Quiénes son ellos?	**Who** are they?

¿Cuál?　　¿Cómo?　　¿Cuáles?

¿Por qué?

¿Cuándo?

¿Cuántos?　　¿Qué?

¿Quién?

¿Cuánto?

¿Dónde?　　**¿Quiénes?**

Los adjetivos

You have already learned several adjectives, such as colors. Remember that adjectives can be masculine or feminine and singular or plural. Match the gender (masculine or feminine) and number (singular or plural) of an adjective to the noun it describes. To make either form plural, add *-s* if the adjective ends in a vowel or *-es* if the adjective ends in a consonant. Although most adjectives follow the nouns they modify, adjectives of quantity such as *tres, mucho (mucha), otro (otra)* and question-asking words precede their nouns.

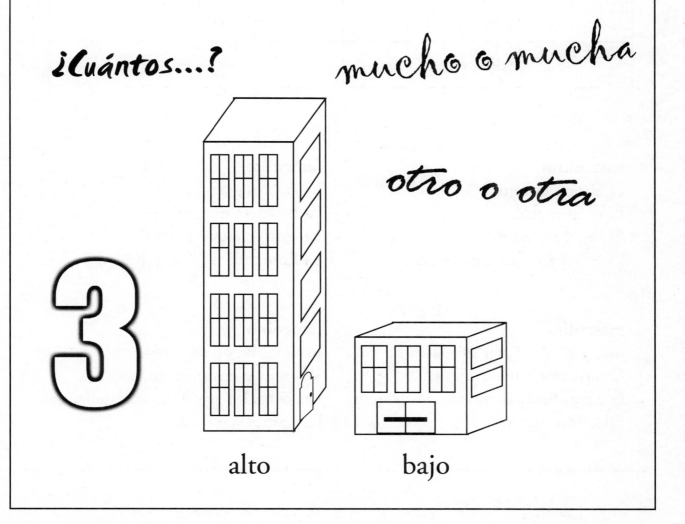

¿Cuántos...?

mucho o mucha

otro o otra

alto   bajo

Concordancia de los adjetivos con los sustantivos

singular		plural	
masculino	**femenino**	**masculino**	**femenino**
rojo	rojas	rojos	rojas
español	española	españoles	españolas
inglés	inglesa	ingleses	inglesas
verde		verdes	
azul		azules	
feliz		felices	

singular

masculino

El abrigo es rojo.
El niño es feliz.
El zapato es azul.
El concierto fue muy bueno.

femenino

La casa es grande.
La bicicleta es pequeña.
La carretera es estrecha.
La limonada está muy fría.

plural

masculino

José y Manuel son simpáticos.
Mis padres son muy felices.
Los autobuses de Londres son rojos.
Ellos son ingleses.

femenino

Rose y Sharon son inglesas.
Vosotras estáis muy guapas.
Las comidas españolas son deliciosas.
Las faldas son azules.

El negativo

Do you remember how to make a sentence negative in Spanish? Look at these sentences.

*Mis amigos **no** están en la tienda.*   My friends are **not** in the store.
***No** tengo muchas cintas.*   I do **not** have a lot of cassettes.
*Elena **no** las tiene tampoco.*   Elena does **not** have them either.
***Nunca** cantas.*   You **never** sing.

Remember: Make a sentence negative by placing a negative word like *no* or *nunca* before the verb and also before the direct object pronoun (if there is one).

no
nunca **+** **verb**

Gustar

Do you remember how to use the verb *gustar?* Review the following:

- The most commonly used present-tense forms of *gustar* are *gusta* and *gustan.*
- *Gustar* must always be used with an indirect object pronoun.

los pronombres indirectos	
me	nos
te	os
le	les

- It may sometimes be useful to emphasize or clarify what you are saying by adding one of the following: *a mí, a ti, a Ud., a él, a ella, a nosotros, a nosotras, a Uds., a ellos* or *a ellas.*
- The word order of a sentence containing a form of *gustar* may vary at times.

La música me gusta. → *Me gusta la música.*

Las canciones de amor nos gustan. → *Nos gustan las canciones de amor.*

Gustar - verbo de objeto indirecto

El presente del verbo **gustar** se forma así:

me	gust**a**
te	gust**a**
le	gust**a**
nos	gust**a**
os	gust**a**
les	gust**a**

NOTA: Gustar es distinto a los otros verbos porque no cambia con las personas. Sólo cambia a singular o plural según que el objeto sea singular o plural.

(A mí) me gusta el chocolate.

(A mí) me gustan los animales.

(A Juan) le gusta el chocolate.

(A Juan y a Teresa) les gusta el chocolate.

(A Juan y a mí) nos gustan los animales.

¿(A ti) te gusta la tortilla?

El presente para indicar el futuro

You have seen that the present tense of a verb is generally used to say what people are doing now or what they do frequently. Remember that the present tense of a verb can also be used to refer to the not-too-distant future as long as a future time expression is used. Look at the following:

*Ellos **vienen** a la fiesta el viernes.*

They **are coming** to the party on Friday.

*Mañana **escribo** una carta a mi abuela.*

Tomorrow I **will write** a letter to my grandmother.

*¿Tú **estás** en casa mañana?*

Will you be home tomorrow?

*Elena **va** a celebrar su cumpleaños mañana.*

Elena **is going** to celebrate her birthday tomorrow.

Feliz Cumpleaños

ABRIL

L	M	M	J	V	S	D
	1	2	3	4	5	6
7	8 Hoy	9 cumple-años	10	11	12	13
14	15	16	17	18	19	20
21	22	23	24	25	26	27
28	29	30				

Adjetivos y expresiones con *tener*

The verb *tener* may be combined with a noun *(sustantivo)* to ask about or to express physical or emotional conditions. As you have already learned, any accompanying adjectives must agree with the noun they modify. Thus, masculine adjectives such as *mucho* and *poco* are used with the masculine nouns *miedo, frío, calor* and *sueño*, whereas feminine adjectives such as *mucha* and *poca* accompany the feminine nouns *hambre, prisa* and *sed*.

¿Qué tienen?

¿Qué tiene Margarita?

¿Qué tiene Gloria?

¿Qué tienen Mónica y Andrés?

¿Qué tienen Luis y Pedro?

¿Qué tiene José?

Y tú, ¿qué tienes?

Los verbos regulares

You have recently seen verbs with spelling changes *(e → ie,
e → i)*. Earlier you saw many regular verbs. Do you remember
which endings to use for them?

hablar	
habl**o**	habl**amos**
habl**as**	habl**áis**
habl**a**	habl**an**

comer	
com**o**	com**emos**
com**es**	com**éis**
com**e**	com**en**

vivir	
viv**o**	viv**imos**
viv**es**	viv**ís**
viv**e**	viv**en**

Presente de los verbos que terminan en *-ar*

El presente de los verbos que terminan en **-ar** se forma así:

hablar			
yo	hablo	nosotros nosotras	hablamos
tú	hablas	vosotros vosotras	habláis
Ud. él ella	habla	Uds. ellos ellas	hablan

Aquí tienes algunos verbos útiles que terminan en **-ar**. Se conjugan igual que **hablar.**

acampar	desayunar	importar	pasar	respirar
aceptar	descansar	inventar	pelar	sacar
ahorrar	doblar	lavar	pescar	saltar
amar	dudar	llenar	practicar	tirar
arreglar	enseñar	llorar	premiar	tocar
ayudar	entregar	mejorar	presentar	tomar
bailar	escapar	mirar	publicar	transportar
bajar	examinar	necesitar	quedar	tratar
buscar	funcionar	olvidar	reclamar	usar
caminar	ganar	opinar	refrescar	utilizar
cantar	gastar	organizar	regalar	veranear
clasificar	grabar	pagar	regresar	viajar

La profesora enseña español.
Se desayunan a las nueve de la mañana.
La televisión no funciona.
Caminamos por el parque todas las mañanas.

Presente de los verbos que terminan en *-er*

El presente de los verbos que terminan en **-er** se forma así:

comer			
yo	como	nosotros nosotras	comemos
tú	comes	vosotros vosotras	coméis
Ud. él ella	come	Uds. ellos ellas	comen

Aquí tienes algunos verbos útiles que terminan en **-er.** Se conjugan igual que **comer.**

beber	coser	leer	meter	vender
correr	creer	deber	temer	ver

Luis bebe leche todas las mañanas.
Leemos mucho.
Nunca veo la televisión por la noche.
En el supermercado venden naranjas españolas.

Presente de los verbos que terminan en *-ir*

El presente de los verbos que terminan en **-ir** se forma así:

vivir			
yo	vivo	nosotros nosotras	vivimos
tú	vives	vosotros vosotras	vivís
Ud. él ella	vive	Uds. ellos ellas	viven

Aquí tienes algunos verbos útiles que terminan en **-ir.** Se conjugan igual que **vivir.**

abrir	cubrir	escribir	presumir
asistir	definir	permitir	prohibir
batir	descubrir	presidir	recibir

Cristina y Luis viven en una casa de campo.
No escribo bien a máquina.
Siempre recibís muchas tarjetas
   de Navidad.
La tienda abre a las nueve.

Tienda
Mi Música

Abrimos a
las 9:00 a.m.

El complemento directo

You have already learned to use direct objects in Spanish to show the person or thing in a sentence that receives the action of the verb. Do you remember the direct object pronouns?

me	*me*	**nos**	*us*
te	*you* (tú)	**os**	*you* (vosotros,-as)
lo	*him, it, you* (Ud.)	**los**	*them, you* (Uds.)
la	*her, it, you* (Ud.)	**las**	*them, you* (Uds.)

*No **la** veo.*
I do not see **her.**
I do not see **it.** *(la lista de las películas nuevas)*

*Nunca **lo** veo.*
I never see **him.**
I never see **it.** *(el programa)*

El pretérito de los verbos regulares *-ar*

Do you remember how to form the preterite tense of a regular *-ar* verb? Remove the last two letters from the infinitive and add the indicated endings.

lavar			
yo	lav**é**	nosotros nosotras	lav**amos**
tú	lav**aste**	vosotros vosotras	lav**asteis**
Ud. él ella	lav**ó**	Uds. ellos ellas	lav**aron**

Note: Regular verbs that end in *-car (buscar, explicar, sacar, tocar)*, *-gar (apagar, colgar, jugar, llegar, pagar)* and *-zar (empezar)* require a spelling change in the *yo* form of the preterite.

¿Quién lavó el carro?

Las preposiciones

You have learned to use several prepositions in Spanish. Look at the
following list and see how many you remember:

prepositiones	
a	hasta
con	para
de	por
desde	sin
en	sobre

¿Dónde está el gato?

Tener que

You are already familiar with the phrase *tener que* to indicate a need to do something. Remember to use the expression *tener que* (+ infinitive) when you want to express what someone has to do.

*Julio **tiene que comprar** unas cosas para sus vacaciones en Cancún.*

Julio **has to buy** some things for his vacation in Cancún.

Julio tiene que comprar un traje de baño, una camisa y unos zapatos

Preposiciones de lugar

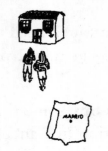
A, HACIA
Vamos a casa. Vamos hacia el parque.

EN
Madrid está en España.
La tienda está en la esquina.

ENTRE
La oficina de correos está entre el supermercado y el banco.

AL LADO DE, JUNTO A
Mi colegio está al lado del parque.   Mi colegio está junto
        al parque.

ENFRENTE DE
El toro está enfrente del torero.

DELANTE DE
Tienes que esperarme delante de tu casa.

ALREDEDOR DE
Rosa, Teresa y Antonio están sentados alrededor de la mesa.

ENCIMA DE, SOBRE
Tus libros están sobre la mesa.   Tus libros están encima de
        la mesa.

DEBAJO DE
Sus zapatos están debajo de la cama.

DETRÁS DE
El toro está detrás del torero.

LEJOS DE
El toro está lejos del torero.

CERCA DE
La casa de Catalina está cerca de la escuela.

El presente de algunos verbos útiles

	traer	**hacer**	**salir**	**venir**
yo	traigo	hago	salgo	vengo
tú	traes	haces	sales	vienes
él ella usted	trae	hace	sale	viene
nosotros/as	traemos	hacemos	salimos	venimos
vosotros/as	traéis	hacéis	salís	venís
ellos ellas ustedes	traen	hacen	salen	vienen
	dar	**ir**	**decir**	**tener**
yo	doy	voy	digo	tengo
tú	das	vas	dices	tienes
él ella usted	da	va	dice	tiene
nosotros/as	damos	vamos	decimos	tenemos
vosotros/as	dais	vais	decís	tenéis
ellos ellas ustedes	dan	van	dicen	tienen
	ver	**oír**	**poner**	**saber**
yo	veo	oigo	pongo	sé
tú	ves	oyes	pones	sabes
él ella usted	ve	oye	pone	sabe
nosotros/as	vemos	oímos	ponemos	sabemos
vosotros/as	veis	oís	ponéis	sabéis
ellos ellas ustedes	ven	oyen	ponen	saben
	pedir	**volver**	**jugar**	**reír**
yo	pido	vuelvo	juego	río
tú	pides	vuelves	juegas	ríes
él ella usted	pide	vuelve	juega	ríe
nosotros/as	pedimos	volvemos	jugamos	reímos
vosotros/as	pedís	volvéis	jugáis	reís
ellos ellas ustedes	piden	vuelven	juegan	ríen

Después de todo se lo merece

¡Escápese!

Imagínese bajo el sol en una hermosa playa, tomando fotos en una interesante zona arqueológica o recorriendo las románticas callejuelas de una ciudad colonial...

Usted sólo tiene que elegir cualquiera de los 30 destinos que le ofrecen los VTP'S de Mexicana; del hotel, la comida y el transporte nosotros, nos encargamos.

Deje de imaginar y escápese; un VTP le cuesta menos de lo que se imagina, contamos con usted.

USTED CUESTA CON
MEXICANA
La primera Línea Aérea de México

Tips para visitar sitios arqueológicos

TIPS PARA VISITAR SITIOS ARQUEOLÓGICOS

1. No extraer nada del sitio arqueológico.

2. No caminar sobre las piedras, pueden estar resbalosas.

3. Al fotografiar pinturas, mulares o esculturas, no utilizar flash.

4. No alimentar a los pájaros o a los animales, ya que?—por ejemplo, las iguanas?—dañan las estructuras de los sitios.

5. Respetar las restricciones en el uso de tripiés.

6. Procurar visitar los sitios muy temprano o en las tardes, cuando el sol no es tan fuerte.

7. Llevar agua para beber; el calor y la caminata pueden ser difíciles.

8. Utilizar cremas protectoras para que los rayos solares no dañen su piel.

9. Llevar zapatos cómodos.

10. Respetar las restricciones sobre el ascenso a los edificios.

11. No escribir en las piedras.

12. No arrojar monedas a los monumentos o pozos.

13. No tirar basura.

14. No vender o adquirir piezas arqueológicas; en México, hacerlo es un delito federal.

Amigos por correspondencia

Marcela Granados
16 años, Retorno Plátino #179, Fracc. Valle Dorado, Ensenada, B.C., México C.P. 22890

pasatiempos: tener amigos por correspondencia, jugar softbol, oír música, estar con mis amigos, ver juegos de beisbol.

Adriana Rivero Vargas
14 años, José María Olloqui 184-202, Col. del Valle, México, D.F. C.P. 03100

pasatiempos: pintar cerámica, coleccionar postales, libros, ir al cine o al boliche y hacer chocolates.

Juan Carlos Mejía
16 años, Apartado Postal 326, Tuxla Gutiérrez, Chiapas, México, C.P. 29000

pasatiempos: intercambiar postales, estampillas, escuchar música, jugar fútbol y patinar.

Luz Gutiérrez
14 años, Jr. España #503, La Perla Alta, Callao 04, Lima, Perú

pasatiempos: oír música, hacer amigos, practicar deportes, escribir poemas, leer *Tú* y contestar mi correspondencia.

Mónica Moncada
16 años, Urb. Pirineos 1 Calle 02, #63, Lote E, San Cristóbal, Edo. Tachira, Venezuela

pasatiempos: patinar, nadar, coleccionar todo lo referente a Michael Jackson, comer pizza, salir con mis amigos y conocer otras culturas.

Ciber@migos
Luisa Guzmán V.
13 años
lguzman@mv.net.gt

pasatiempos: leer, patinar, oír música, conocer gente y lugares, bailar.

Gloria María Castañón
14 años
gloria@avan.net

pasatiempos: modelar, patinar, ver televisión, leer la revista *Tú*, comer, ir al cine y hacer muchos amigos.

Lisa Guerra Torres
16 años
lguerra@coqui.net

pasatiempos: salir con mis amigos, ir al cine, hablar por teléfono, conocer nuevos amigos, ver televisión, leer *Tú*.

Kasuko Nomura
14 años
infa@lacochinita.com.mx

pasatiempos: jugar solitario, meterme al Internet y escuchar música.